ЧАРОВНИЦА

РОМАНЫ Е. АРСЕНЬЕВОЙ

ЕЛЕНА АРСЕНЬЕВА

ЕЩЕ ОДНА ИЗ ДОМА РОМАНОВЫХ

ЭКСМО

Москва

2013

УДК 82-3
ББК 84(2Рос-Рус)6-4
А 85

Оформление серии *П. Петрова*

В создании коллажа на первую сторонку переплета
использованы репродукции картин
М. А. Зичи и *Эжена де Блааса*

А 85   **Арсеньева Е.**
Еще одна из дома Романовых : роман / Елена
Арсеньева. — М. : Эксмо, 2013. — 256 с. — (Чаровница.
Романы Е. Арсеньевой).

ISBN 978-5-699-63645-7

Немецкая принцесса Элла любила анемоны, греческая Александра — иммортели. Принцессу Эллу любил и ее муж, и муж Александры... Нелюбимая бедняжка скоропостижно отправилась в мир
иной, и оставшийся вдовцом великий князь Павел Александрович
наконец-то вычеркнул из памяти роковую Эллу, много лет сводив-
шую его с ума... Он думал, что с любовью покончено. Но однажды
ночью, скитаясь по Петербургу, Павел повстречал новую роковую
женщину своей жизни. И она внесла такой переполох в многолюд-
ный дом Романовых, что стало не до анемон и иммортелей...

УДК 82-3
ББК 84(2Рос-Рус)6-4

ISBN 978-5-699-63645-7

И сердце вновь горит и любит — оттого,
Что не любить оно не может.

А. Пушкин

— Я до сих пор не понимаю, как вам удалось меня сюда притащить, — проворчал Эрик, опасливо озираясь.

«Трус несчастный!» — подумала Леля, но улыбнулась с такой нежностью, что сердце Эрика дрогнуло. Эти чудные темные глаза умели смотреть так, что у него мутилось в голове.

— Эрик, я не понимаю, о чем вы так беспокоитесь? Здесь никто представления не имеет ни о вашем имени, ни о вашем высоком чине, поэтому ваше реноме не пострадает. Ну кто вы в их глазах? Просто какой-то лакей, который решил повести хорошенькую горничную на ярмарку. Я ведь хорошенькая, правда? — И Леля расхохоталась, не дожидаясь ответа, вернее, прочитав его во взгляде Эрика. — Да здесь таких, вроде нас, полным-полно, вы оглянитесь! Но они ведь и по-настоящему лакеи и горничные — а мы-то кто с вами на самом деле? То-то...

Но это ведь безумно интересно — хоть немного побыть не собой, а другим!

— Я, наверное, и вправду обезумел, если позволил вовлечь себя в эту авантюру, — буркнул Эрик. — Мне все время кажется, что сейчас кто-нибудь крикнет: «Le roi nu!»[1]

— Ради бога, — насмешливо сказала Леля, — теперь станемте говорить только по-русски, ежели вы в самом деле не хотите, чтобы вас и в самом деле разоблачили. Кстати, вы знаете, что такое по-русски — *разоблачить*? Это значит — раздеть! Вот вам и выйдет le roi nu!

И она расхохоталась, наслаждаясь небывалой растерянностью в глазах своего кавалера.

А и в самом деле — Эрик-Герхард фон Пистолькорс совершенно не понимал, как это он — поручик конной гвардии, всегда такой важный, исполненный чувства собственного достоинства, слегка снисходительный, но все же с толикой презрения к тем, кто не столь, сколь он, осведомлен в мировой и политической, а особенно — в военной истории, — ну вот каким образом он вдруг смог до такой степени потерять голову и позволить Леле Карнович (в отличие от матери, Ольги Васильевны, младшую дочь в этой семье называли только Лелей, и ни на каких Оленек-Олечек она отзываться не желала!) уговорить себя пойти на ярмарку... да еще нарядившись в парадный костюм старшего лакея Карновичей — Федора Иг-

---

[1] А король-то голый! *(франц.)*

натьевича?! Между прочим, Федор Игнатьевич не сопротивлялся прихоти барышни Ольги Валерьяновны ни одной минуты, он словно бы даже с радостью отдал свой длинный, в талию сшитый пиджак, котелок и брюки Эрику, гордо заявив, что это его лучшее выходное платье.

— Выходное платье?! — изумился Эрик. — Парадный костюм? Но ведь все шпа... — Он чуть не брякнул по привычке — шпаки, но быстренько поправился: — То есть я хочу сказать, все штатские на выход надевают фрак! В театре куда ни посмотри — одни фраки!

— Это лишь для господ, — пояснил Федор Игнатьевич, — а для нашей услужающей братии фрак — одежка повседневная. Коли нам прифрантиться охота, мы вот пиджачишко себе построим да и хаживаем в нем за милую душу по гуляньям — само собой, когда господа отпустить соизволят.

Кто-то однажды сказал, что фрак — мундир для шпака, и с тех пор Эрик-Герхард Пистолькорс относился к этому виду одежды не без презрения. Теперь он запрезирал фраки еще больше. Подумать только! Повседневная одежда для лакея! И ведь в цирке тамошние служители — тоже во фраках! Да никогда в жизни господин конногвардеец больше не снимет мундир ни для какого бала, ни для какого торжества! И хоть в свете частенько можно было видеть военных, даже заслуженных, щеголявших на балах и на театрах во фраках с так называемыми «фрачными орденами», представлявшими собою уменьшенные и облегченные копии настоящих, Эрик твердо знал, что отныне это — не для него. Никаких фраков!

С этой мыслью он почти покорно надел и двубортный пиджак, и брюки на подтяжках, и штучный, то есть сшитый из другого материала, чем костюм, жилет, и сорочку с пристегивающимся целлулоидным воротничком, который немедля натер бы Эрику шею, кабы шея сия уже не была столь многажды натираема воротом кавалергардского мундира, что Эрик на такие мелочи и внимания не обращал.

Ему приходилось читать сочинения господина Габорио, главный герой которых, агент сыскной полиции по имени Лекок, отличался необыкновенной приметливостью и умел определить принадлежность человека по незначительным признакам. Эрик мог бы подсказать мсье Лекоку, что подлинного военного легко определить по красной полосе на его шее...

Федор Игнатьевич снабдил Эрика также скромным черным галстуком под названием «регата», который был не чем иным, как обычным галстуком с уже готовым большим узлом и даже серебряной булавкой, скреплявшей концы, однако застегивался он на петельку сзади, под воротничком рубахи, что, конечно, было очень удобно... для *шпаков*. Пистолькорсу были выданы и перчатки, и палка — по весу тяжелая, однако сделанная из витого цветного стекла. Федор Игнатьевич пояснил, что его свояк живет в городе Гусь-Хрустальном, а там такие вот стеклянные палки в большом ходу, ибо — местное рукомесло и весьма дешевы. Эрик, который до сей поры держал в руках только легонький стек, который иногда заменял ему хлыст при верховой езде, а более служил формой щегольства, сначала даже боялся опираться на эту палку, думая, что она окажется неким подобием стека или трости, которая тоже, как и стек, была лишь данью щегольству, а не опорой, но вскоре оказалось, что стеклянная палка вполне надежна. Правда, ронять на булыжную мостовую ее все же не рекомендовалось, о чем Федор Игнатьевич деликатно предупредил. Эрик со вздохом пообещал беречь подарок лакейского свояка. Да-да, с ним происходили странные превращения — то ли под действием новой одежды, то ли — и это вернее всего! — под действием неодолимых Лелиных чар.

Пока конногвардеец под руководством старшего лакея Карновичей овладевал навыками обращения со своей новой, с позволения сказать, сбруей, Леля поспешно снимала корсет и надевала прямо на сорочку ситцевое розовое платье. Ей помогала переодеться и заплетала косу Анюта, которая, как и положено молоденькой и хорошенькой горничной, была истинной субреткой[1] своей госпожи, а потому находилась в курсе всех ее эскапад, сиречь всегда экстравагантных, но далеко не всегда

---

[1] С у б р е т к а — театральное амплуа: бойкая, находчивая, острая на язык служанка, которая предана своей хозяйке и помогает ей в любовных интригах и прочих авантюрах. *(Прим. автора.)*

приличных выходок. Скажем, если бы Анюте захотелось бы вдруг развязать язык в обществе досужих газетных репортеров, которые всегда охочи до сплетен о тайнах власть имущих (а не следует забывать, что Лелин отец, Валерьян Гаврилович Карнович, носил чин действительного статского советника и был камергером двора его императорского величества, да и муж старшей Лелиной сестры Любочки, Евгений Сергеевич Головин, имел те же звания!), она — Анюта — многое могла бы рассказать газетчикам интересного об этом «черте в юбке», как втихомолку звали между собой Лелю слуги Карновичей. Еще одним Лелиным прозвищем было «барышня-бесовка». Федор Игнатьевич — тот самый, который покорно вынул из сундука заботливо хранимый там (обернутым в шелковую бумагу!) свой парадный костюм, — не раз заявлял, что поговорка «Где черт не сладит, туда бабу пошлет» выдумана нарочно для барышни Ольги Валерьяновны.

Натура у хорошенькой, как девочка с конфетной коробки, Лели была с малолетства самая причудливая. Она отлично знала по-английски — благодаря стараниям мисс англичанки Глории Стайленд — и как-то раз даже начинала знакомство со знаменитой книгой мистера Льюиса Кэррола «Alice's Adventures in Wonderland», «Алиса в Стране чудес», которая вышла как раз в год рождения Лели — 1865-й — и была мисс Глорией не раз с восторгом читана. Мисс Глория полагала сие произведение шедевром — Леле же сказка показалась донельзя длинной и занудной, почему и была отброшена (однако «Крошку Доррит» и «Оливера Твиста» она затрепала от корки до корки!), но мысль о Зазеркалье, о другой стране, куда, оказывается, так просто попасть, в Лелиной кудрявой голове засела прочно. Вот бы там побывать! Неведомо почему, но девочка сочла, что переодевание в чужой наряд — это один из ключей, открывающих двери в эту страну, а потому маскарады сделались ее любимым времяпрепровождением. Однако же маскарады — не настолько уж частое явление в приличном обществе, а оттого Леля взяла за правило рядиться в чужую одежду самостоятельно, без всякого повода, как только возникала охота или как только выпадала такая возможность. Разумеется, с этих пор ее любимыми книгами стали «Барышня-крестьянка», а также «Двенадцатая ночь» Шекспира и те книги и пьесы, в которых главная героиня принуждена поневоле переодеться либо в платье противоположного пола, либо в наряд субретки. Гардероб Анюты и всех прочих горничных был отныне к Лелиным услугам, ибо ей решительно никто ни в чем не мог отказать.

Наконец дошли о том слухи до родителей. Матушка призвала к себе шалую барышню и строгим голосом сделала внушение. В отличие от супруга своего, Валерьяна Гавриловича, который младшую дочь обожал и решительно ни в чем не мог ей отказать, Ольга Васильевна не скрывала пристрастия к Любочке, дочери старшей, а потому осуществлять все воспитательные — точнее, карательные — меры по отношению к Леле всегда принималась сама. Для начала Ольга Васильевна заявила, что неприлично девушке из *такого семейства* — два эти слова она голосом, словно курсивом, выделила — напяливать на себя всякую ветошь, служанкам принадлежащую, и выставлять себя на посмешище.

А Леля, надо сказать, с малолетства умела различить, кто ее любит искренне (отец и все слуги), кто лишь исполняет свой долг по отношению к ней (маменька и мисс Глория), а кто терпеть не может (сестра Любаша, ее супруг Евгений Головин и все классные дамы, с какими только имела дело Леля на своем гимназическом веку). И хоть она прекрасно знала, что лучше, когда люди тебя любят, чем когда не любят, и надо уметь этой любви от них добиваться, она, по младости лет, была все же достаточно своевольна, а потому маменькиных нотаций не снесла — и возьми да и скажи:

— Папа́ недавно рассказывал, что сама великая княгиня Марья Николаевна не считала зазорным рядиться и разгуливать переодетой по улицам! И никто не смел над ней смеяться, тем паче что она проделывала сие тайно! А уж коли ее высочество, дочь государя императора, не считала это для себя зазорным, то и тем, кто проще, дозволено.

— Вот именно что не дозволено, — категорично заявила Ольга Васильевны, — ибо quod licet

Jovi, non licet bovi[1]. И то, что было простительно дочери государя, будет считаться зазорным для дочери камергера. Браки венценосцев подчинены государственной необходимости, поэтому судьба Марьи Николаевны была предрешена независимо от ее репутации, а девицы нашего круга принуждены считаться с условностями света, если хотят сделать хорошую партию.

— Хорошую партию! — проворчала Леля, но более слова не промолвила, видя, как гневно сверкают глаза у маменьки. Ольга Васильевна была нравом крута и горяча до такой степени, что даже муж опасался с ней спорить, а Леля не раз умудрялась схлопотать оплеухи, тычки да пинки за свое своеволие. Когда была девочкой, то заливала обиду слезами, вымаливала у разошедшейся маменьки прощение, а теперь просто стала осторожней. Даже от самых близких надобно уметь таиться, делая вид, что ты покорна их воле. Не людей надо уговаривать, — Леля очень рано поняла это, — не их воле подчиняться и даже не к обстоятельствам приспосабливаться... нужно эти самые обстоятельства и людей приспосабливать к своей воле! Только чтобы они не поняли, как ты это делаешь. Чтобы они вообще не поняли, что с ними это проделывают!

Ольга Васильевна, хоть и любила младшую дочь меньше старшей, понимала, что Леля куда красивей Любочки и над мужчинами имеет осо-

---

[1] Что позволено Юпитеру, не позволено быку *(лат.)*.

бенную власть. Ни одно существо мужского пола (к существам этим Ольга Васильевна ничего, кроме презрения, не испытывала, искренне полагая, что ни одно из них своим умом думать не способно — на то ему ум жены даден... И это было единственное, в чем сходились в своих воззрениях дочь и мать, однако ни та, ни другая об этом сходстве не только не знала, но даже не подозревала) не могло оставаться равнодушным к ее — нет, даже не красоте, хотя Леля была прехорошенькой, вся будто точеная, пышногрудая, с великолепными волосами и длинными, словно бы всегда прищуренными темными глазами, — а к ее очарованию. Ведь даже рядом с писаными красавицами, такими известными в свете, как княжны Мария Кузнецова и Вера Хованская, графиня Лия Бехтеева, Ванда Боровицкая, Розалия Розетти, княгини Зинаида Юсупова и Мария Голицына, — даже рядом с ними подрастающая Леля Карнович не оставалась незамеченной. Девчонка должна сделать не просто хорошую, но блестящую партию, твердо решила мать, у которой закружилась голова перед сонмом кавалеров дочери, которые днем то и знай фланировали верхом или в колясках под окнами дома Карновичей, а на балах или вечеринках не давали Леле передохнуть. Разумеется, больше всего вокруг нее крутилось молодых вертопрахов, среди которых не было ни единого человека с приличным состоянием и положением в свете, однако некоторые весомые персоны... их ведь не в любом обществе и назовешь, столь они были высоки чином и званием! — тоже выказывали Леле свое расположение. Словом, только выбирай!

Однако долго выбирать не следует, отлично понимала Ольга Васильевна. Во-первых, провыбираешься: слишком разборчивые, как известно, остаются у разбитого корыта. Кроме того, как бы не закружилась у Лели голова, уже больно много внимания, много лести, много шума вокруг нее. Потом будущему супругу трудно будет поладить с зазнавшейся красавицей, ну а упреки кому достанутся? Матери, конечно, которая не сумела девушку должным образом воспитать и вовремя окоротить! Поэтому, как только генерал Афанасьев, вдовец, но бездетный, владелец трех имений в разных губерниях России, носивших названия одинаково сакраментальные — Афанасьево, нескольких доходных домов в обеих столицах, особняка на Невском проспекте, поместья на юге Франции, близ Ниццы, и состояния, которое если и нельзя назвать баснословным, то легко можно было определить как весьма значительное, дал Ольге Васильевне понять, что в Леле Карнович он видит ту, которая может скрасить его одиночество и скорбь по дорогой супруге, скончавшейся два года назад, — Ольга Васильевна оживилась и уже увидела себя в мечтах генеральской тещей, отдыхающей на террасе французского особняка с видом на теплое море. Супругу пока ничего не было сказано... Ольга Васильевна предвидела, что возраст будущего зятя, который окажется на десять лет старше тестя и тещи, а жены, стало быть, на тридцать... сыграет тут роковую роль. Валерьян Гаврилович, сердито думала его жена, ведь не способен смотреть в будущее, он не в силах понять, что вскоре старик генерал может покинуть мир сей, оставив Лелю богатейшей вдовой! Словом, решительный разговор с мужем Ольга Васильевна пока откладывала, генерала Афанасьева всячески привечала — и допривечалась до того, что ее стратегический замысел стал известен младшей дочери, которая, выслушав нашептывания вездесущей Анюты, сперва недоверчиво рассмеялась, потом остолбенела от ужаса, потом встряхнулась и решительно сказала:

— Не бывать этому. На что угодно пойду, а генеральшей Афанасьевой не стану!

Одним из шагов этого самого «на что угодно» и было тайное путешествие Лели на городскую ярмарку в сопровождении Эрика Пистолькорса — негнущегося, недовольного, испуганного и облаченного в парадный костюм старшего лакея.

Сама Леля выглядела в розовом ситцевом платье и беленьком платочке Анюты до того прелестно, что ни один мастеровой или даже военный не преминывал на нее заглядеться, и в конце концов даже Эрик немножко отмяк, обнаружив, что денек нынче — просто на славу, грех в такой день ворчать и гневаться, тем более что под руку с тобой идет редкостная красавица, в которую ты влюблен настолько явно, что позволяешь ей вить из себя самые причудливые веревки.

Эрик Пистолькорс давно сделал бы Леле предложение, да видел, что неугоден Ольге Васильевне. Родители его были небогаты, и хоть перспективы по службе открывались перед ним самые блестящие, все же это были лишь перспективы... лишь настоящее питает будущее, а, к сожалению, не наоборот... Вдобавок хоть положение Карновичей и было достаточно видным, однако они не могли позволить себе жить в самом деле на широкую ногу. До сих пор приходилось еще залатывать прорехи, нанесенные подготовкой приданого и устройством свадьбы для старшей дочери, Любочки. Эрик не был охотником за богатыми невестами, но, встреться ему такая, не отказался бы!

Приданое жены пришлось бы ему очень кстати. Хоть говорить о деньгах и моветон, а все же, чтобы служить в гвардии и особенно — в кавалерии, — нужны были деньги очень немалые. «Честь мундира» требовала постоянной поддержки. Форма у кавалергардов поистине блестящая, шитье дорогое, да еще нужна форма бальная, две шинели — это самое малое, обычная шинель и «николаевская», с широким, до талии воротником в виде пелерины, для ношения вне строя... Лошадей нужно две или три, да не абы каких, а чистокровных! А расходы по Офицерскому собранию, участие в устройстве балов, приемов, парадных обедов, всяческих подношений командирам и шефу полка... К тому же этот дорогостоящий, ну просто разорительный обычай: после свадьбы передать в Офицерское собрание серебряный столовый прибор... На все нужны деньги! Ну ладно, прибор один раз купил — и довольно, а все прочие расходы? Нет, без жены с богатым приданым не обойтись, и хоть офицерство, особенно гвардейское, было особой кастой, которая предпочитала только свою привилегированную среду, а все же начальство никогда не запрещало вступать в брак с девицами из семей просвещенного купечества, заводчиков, фабрикантов. Командиры понимают, сколь дорого стоит офицерский лоск!

У Лели вряд ли будет достаточно богатое приданое, жить на очень уж широкую ногу не придется.

Хотя не в богатстве дело, вдруг печально подумал Эрик... Он понимал, что ему нужна жена попроще, чтобы над ней властвовать. Над Лелей-то не повластвуешь, поэтому Леля не для него. Наверное, Эрик такую найдет — послушную, с деньгами... А пока, в самом деле, надо отбросить чопорность, привитую с детства — в семье Пистолькорсов из рода в род все мужчины становились военными, их готовили к этой стезе чуть ли не с первых дней жизни, — и просто наслаждаться жизнью. Пусть Лелю Карнович ему не отдадут, да и сам он к ней не посватается — но ведь именно его она решила вовлечь в эту авантюру: прогулку по ярмарке! Не ротмистра Самойлова, не инженера-шпака... этого, как его... забыл фамилию, да и шут с ним... не паркетного шаркуна Ненарокова-младшего, а его, Эрика-Герхарда Пистолькорса! Сейчас Леля с Эриком рядом, ее улыбка сияет ему, ее смех звенит для него, так надо радоваться жизни! Тем более что он никогда в жизни не был на такой ярмарке...

* * *

— Мой мальчик Вилли все еще влюблен в эту маленькую глупенькую девочку, — проворковала Амалия, осторожно проводя пальцем по голому животу наследника прусского престола, отчего задрожали и живот, и наследник... Не поколеблен остался только престол, да и то лишь потому, что еще не принадлежал принцу. — Мой мальчик Вилли все еще не оставил своих маленьких глупеньких надежд... Мой мальчик Вилли все никак не хочет понять, что эта маленькая глупенькая девочка никогда не станет его маленькой глупенькой женушкой...

— С чего ты взяла, что не станет?! — так и вскинулся Вилли, раздраженно отбрасывая руку Амалии со своего живота. — И перестань! Я боюсь щекотки, ты же знаешь!

— Ты боишься щекотки *потом*, — дразнящий шепоток Амалии шелестел у самого его уха. — А *перед тем* ты ее не боишься, она тебе очень нравится. Давай поменяем все местами! Пусть сейчас будет не *потом*, а *перед тем*! Начнем с самого начала, ты не против?

И, взяв Вилли за руку, она положила ее на свой поросший кудрявыми черными волосками заманчивый бугорок и начала водить по нему, постанывая и разводя ноги.

Вилли, как обычно, вспыхнул мгновенно. Его постельная неутомимость была предметом насмешливой зависти или завистливых насмешек, как угодно, и придворных, и прочих пруссаков. По рукам ходили списки осчастливленных им девиц и дам, списки рогоносцев — мужей и женихов... Все особы, к которым лазил под юбку будущий Вильгельм II, принимали таинственно-блаженный вид, как только от них требовали оценки жеребячьих качеств принца, однако, приди им охота развязать язык, они могли бы сказать, что красавчик Вилли похож на сухую солому: мгновенно вспыхивает, но так же мгновенно сгорает, и точно так же, как соломе, ему совершенно наплевать, согреет ли кого-нибудь его огонь. Амалия, впрочем, была достаточно опытна, чтобы успевать согреться даже от самого торопливого костерка: не зря она была той спичкой, от которой он сам когда-то загорелся, а проще говоря, именно Амалии поручил некогда дед Вилли, Вильгельм I, познакомить принца с постельными удовольствиями. Вилли было четырнадцать, Амалии — около тридцати... Конечно, дед мог бы найти помоложе, но более опытной и умелой дамы в святом деле развращения юнцов отыскать было сложно! Очень многие мальчики из хороших семей были обязаны ей первыми сладострастными телодвижениями... У Амалии была отменная репутация, почти как у опытной гувернантки, которая — с отличными рекомендациями! — переходит из семьи в семью, вот только поиски гувернанток обычно берут на себя женщины, ну а переговоры с Амалией Клопп брали на себя главы семейств; как правило, betriebsverhalten[1] Амалии ими и проверялись, а потом, после горячего одобрения, фройляйн наставница принималась за дело. Так было раньше, но с тех пор, как пять лет назад она заполучила в свои умелые ручки наследника престола, Амалия хранила ему верность. Это не требовало от нее особых усилий — Вилли был поистине неугомонен. Многие хвори и истерики его отроческих лет объяснялись слишком ранним половым созреванием и самозабвенным пристрастием к греху Онана. Вилли готов был самоудовлетворяться даже в бальном, да что в бальном — даже в тронном зале, если вдруг приходила охота... собственно, он и теперь не слишком изменился, потребность в немедленном получении удовольствия у него осталась прежней, только он уже не рукоблудствовал, а задирал юбки Амалии, это чаще всего, или любой другой понравившейся ему женщине. Возражений он, как правило, не встречал. Пруссия семидесятых-восьмидесятых годов девятнадцатого века была в этом отношении столь же патриархальна, как и во времена Фридриха Вильгельма Бранденбургского, знаменито-

---

[1] Рабочие качества, поведение в процессе эксплуатации *(нем.)*.

го и своими полководческими талантами, и своим блудничеством.

— Ух, хо-ро-шо! — наконец откинулся Вилли на постель и засмеялся сыто, довольно.

— А все же мой мальчик Вилли все еще влюблен в эту маленькую глупенькую девочку, — вздохнула Амалия, утыкаясь в его плечо и легонько покусывая. — Ай-ай, плохой мальчик!

— Да почему ты решила, что я в нее влюблен? — сердито буркнул Вилли, отталкивая любовницу, как расшалившуюся кошку.

— С того, что ты валяешь в постели меня и изливаешься в меня, а сам в это время выкрикиваешь ее имя, — грустно сказала Амалия. — Честно говоря, мне это надоело, да и это имя — Элла — мне никогда не нравилось. К тому же, посмотри, нет, ты только посмотри на меня! — Она указала на свои груди, бедра, живот, которые были испятнаны маленькими красными вмятинами... если присмотреться, можно было разглядеть крошечные ромбики, порою отмеченные даже порезами. Эти ромбики точь-в-точь повторяли огранку любимого перстня Вилли, который тот носил не снимая. — Но я знаю, что, подавая руку Элле, ты всегда поворачиваешь свой перстень камнем наружу!..

...Перед тем, как взять Эллу за руку, Вилли всегда поворачивал перстень алмазом наружу. Обычно он носил его камнем внутрь, чтобы грани впивались в кожу того, кому принц изволит пожать руку. Некоторым придворным приходилось терпеть это дважды в день, при встрече и при прощании. Разумеется, наследник прусского престола не совал руку кому попало, но все же прибегал к рукопожатию гораздо чаще, чем любой монарх, настоящий или будущий. Кто-то из придворных Вилли и его отца, кайзера Фридриха Третьего, однажды обмолвился среди близких друзей, что иногда завидует des gentilhommes de la manche французских принцев крови. Эти благородные господа были сопровождающими лицами при инфантах, однако обычай запрещал им прикасаться к руке принца, и они трогали его лишь за рукав, la manche, отчего и возникло их название. Если за руку трогать запрещено, значит, перстень в твою беззащитную ладонь наверняка не вопьется. А впрочем, некий Цезарь Борджиа тоже имел такую привычку, как Вилли, вот только из его перстня выступали два львиных когтя, которые он смазывал ядом... Это было смертельное рукопожатие, так что Вилли поступал куда более милосердно. Однако ему нравилось смотреть в глаза тех, кто удостаивался его рукопожатия. Ему нравилось видеть страх... Но в глазах Эллы он хотел видеть не страх, а любовь, поэтому и поворачивал перстень камнем наружу и осторожно, бережно брал ее ладонь в свою.

Пальцы у Эллы были такие тонкие, такие нежные... она вся была тонкая, хрупкая, как цветок — один из тех лесных цветов, которые она обожала.

Единственный раз Вилли удалось вызвать на ее губах благодарную улыбку — сорвав для нее охапку анемоны, когда поехали на прогулку ранней весной и углубились в старый буковый парк.

Он долго ползал на коленях по сырой прогалине, умиляясь силе собственной любви — любви взрослого мужчины двадцати одного года! — к этой пятнадцатилетней красавице, своей кузине Элизабет Александре Луизе Алисе, второй дочери Великого герцога Гессен-Дармштадтского Людвига IV и принцессы Алисы.

Рейтузы на коленях промокли и почернели. Под ногтями залегла грязь. Вилли обычно очень следил за аккуратностью своих ногтей, но этой грязью он гордился, как дуэлянт гордится следами рапиры на лице — напоминаниями о многочисленных поединках, в которых он принимал участие. Вилли был уверен, что Элла заметит и грязные колени, и грязные руки и оценит те жертвы, которые влюбленный принц принес ради нее.

Опустив лицо в цветы, Элла долго наслаждалась тонким ароматом, а потом, взглянув на Вилли с улыбкой, спросила, знает ли он, как переводится слово анемона.

— Конечно, — сказал Вилли, у которого всегда было отлично по латыни. — Дочь ветров. Не зря в народе ее называют windröschen, ветреница. А ты знаешь, почему этот цветок появляется ранней весной? Когда изгнанные Адам и Ева уходили из рая, на земле шел снег. Несчастных праотцев осыпали крупные белые хлопья. Ева горько плакала от страха и холода. Пожалев бедную Еву, Бог превратил хлопья в цветы, и на смену зиме пришла весна.

Вилли был очень горд собой — до чего кстати вся эта ерунда вспомнилась! Он с видом победителя взглянул на Эллу, ожидая если не аплодисментов, то хотя бы восторженной улыбки, однако не дождался ни того ни другого. Напротив, в глазах Эллы мелькнула легкая обида... и больше она никогда не улыбалась Вилли.

Никогда!

И вышло, что зря он ползал на коленках, и пачкал руки, и рвал эти дурацкие цветы.

Он и не подозревал, что Элла сама хотела рассказать ему историю появления анемоны! И ее самолюбие было задето, а люди, которые задевали ее самолюбие, немедленно становились ее врагами. Неважно, кто эти люди были, даже будущие короли! Собственно, Элла ведь и сама была принцессой, а потому нет ничего удивительного в том, что к принцам она относилась не с таким пиететом, как прочие.

Словом, ее и без того прохладное отношение к Вилли вовсе похолодело.

Ну что ж, осталось не так мало людей, кто всегда был рад улыбнуться наследнику прусского престола, даже если ему не хочет улыбнуться прелестная гессен-дармштадтская кузина! Тем паче Вилли очень внимательно ловил эти улыбки, ему так хотелось быть очаровательным! Он хотел очаровывать характером, знаниями, величием своего положения — свои письма, даже частные записочки многочисленным любовницам он всегда подписывал «Вильгельм Великий», — любовными интригами, внешностью, выдумками, увлеченностью спортом... Не получалось. Характер у Вилли был довольно противный — ему казалось, что все вокруг изо всех сил стараются не глядеть на его левую руку, которая была короче правой на пятнадцать сантиметров, а все-таки глядят, втайне насмехаясь над его уродством. Руку повредил врач, доставая бездыханного младенца Вилли из чрева его бесчувственной матушки, принцессы Виктории Прусской, одурманенной хлороформом. В конце концов ребенок ожил, матушка пришла к себя, но то, что у Вилли в суматохе оказались порваны мышцы левой руки, заметили лишь через несколько дней. Сначала рука вообще не действовала, потом начала потихоньку двигаться, и вскоре вся жизнь Вилли превратилась в сплошную тренировку этой руки. А также доказательства остальным, что он не хуже — он лучше их! Он стал прекрасным пловцом, фехтовальщиком, теннисистом и наездником, он великолепно танцевал, он... он... он... Отто Бисмарк, премьер, канцлер Германии, как-то раз сказал о своем будущем императоре:

— Он похож на воздушный шар. Если не держать его в руках, неизвестно, куда он полетит.

Нашлись добрые люди, которые передали эти слова Вилли. Он обиделся, обозвал Бисмарка противным старикашкой, но постарался как можно скорей забыть обиду, потому что все-таки не был идиотом и прекрасно понимал, что наследником престола надо всего лишь родиться, для чего особого ума не требуется, а первым министром и канцлером — стать, для чего нужен не только ум, но и характер. Случись что с ним, Вилли, ему на смену придет младший брат Генрих (подобно тому, как бездетного прусского императора Фридриха Вильгельма IV сменил его брат Вильгельм I, дедушка Вилли), а вот поди-ка найди второго такого «железного канцлера», как Бисмарк...

Впрочем, положение Вилли обеспечивало ему если не искреннюю любовь окружающих, то хотя бы почитание. Кроме того, он рано начал волочиться за хорошенькими женщинами и знал, что дамы, будь они искренни или лживы, одинаково хороши для ночного, а иногда и дневного употребления. Но вся разница в том, что Эллу он не хотел употреблять — на Элле он хотел жениться...

Их общая бабушка, английская королева Виктория, очень желала этого брака для своей любимой внучки. Великий герцог Людвиг, отец Эллы, — тоже. Но Элла нипочем не соглашалась!

— Папа, не надо, не надо... Не уговаривайте меня! — опустив голову, бормотала она в ответ на уговоры отца. — Я чувствую, что имя Элизабет дали мне не просто так!

Великий герцог Людвиг смотрел на дочь не без уныния. Вот уж воистину, правильно говорят англичане (а ведь Элла частично англичанка по крови!): «He that has a ill name is half hanged» — у кого плохое имя, тот наполовину повешен. Да уж... Дочь его назвали Элизабет в честь святой Елизаветы Тюрингской. Она жила давным-давно, в XIII веке, во времена Крестовых походов. В ее житии рассказывалось, что святая Елизавета много претерпела от недоверчивого мужа и до конца дней своих скиталась, служа людям и благотворительствуя.

На взгляд великого герцога, все эти «претерпения», описанные в житии святой, были сущей ерундой, выдуманной для того, чтобы дурачить такие легковерные головы, как у Эллы, а на супруга Елизаветы Тюрингской была и вовсе возведена жесткая клевета. Супруг сей, принц Людвиг (возможно, великий герцог испытывал к нему особенное сочувствие, как к тезке?), был обвенчан с Елизаветой, когда той едва исполнилось четырнадцать, и якобы запрещал ей милосердствовать. Скажем, однажды муж встретил Елизавету на улице, когда она несла хлеб в переднике, чтобы передать его бедным. Интересно, почему принцу — принцу! — могло сделаться жалко нескольких несчастных кусов хлеба (много ли уместится в женском переднике!)?! Принц велел (конечно, с угрозами и бранью, как расписывало житие!) раскрыть передник — и обнаружил, что он полон роз. А как-то раз Елизавета положила прокаженного младенца в свою постель. Супруг разгневался (видит Бог, думал великий герцог Людвиг, кто бы не разгневался на его месте, ведь у принца и Елизаветы было трое своих детей, которых слишком человеколюбивая мать обрекала на страшную болезнь?!), отбросил покрывало и обнаружил не кого иного, как младенца Христа, лежащего там...

Великий герцог Людвиг не думал, что его тезка был одержим воинствующим неверием, иначе принц Тюрингский не принял бы участие в шестом Крестовом походе ко Гробу Господню. Однако — видимо, в награду за свою чрезмерную религиозную ретивость — он заразился чумой в Италии и умер. Елизавета принесла обет безбрачия и решила служить обездоленным, вступив во францисканский орден, основала в Марбурге больницу для бедных, ухаживала за ними, а в остальное время собирала подаяние на нужды госпиталя. Затем она скончалась — ей было всего двадцать четыре года...

Елизавета Тюрингская была религиозной фанатичкой и истеричкой (по мнению великого герцога, которое тот, понятное дело, не афишировал). Но множество женщин названы этим именем — и живут себя счастливо, и не сходят с ума, и не становятся воинствующими девственницами. Почему же Элла?.. Ну ладно, склонность к истерии у нее от покойной матери, великий герцог не сомневался. Он любил свою жену, но, видит Бог, до чего же трудно мужчине выносить страстную необходимость женщины видеть тебя ежеминутно пришитым к своей юбке или покорно лежащим под своим каблуком!..

А письма герцогини Алисы? Людвиг не ощущал никакого умиления, читая их, — только уныние. «Я тоскую по тебе днем и ночью, мне тебя очень недостает. Но разве можно это передать словами? Я мечтаю побеседовать с тобой... Твой портрет всегда у меня под подушкой, я просыпаюсь, целую его и словно бы жду, чтобы он заговорил со мной. Как холодно и одиноко мое ложе без тебя...»

Конечно, Людвиг писал в ответ, а как же иначе, да и любил он жену, но только не понимал, почему об этом нужно говорить постоянно? Однажды решился, обмолвился — не упрекай-де меня в невнимательности, ведь в моей мужской жизни, в военной и политической, существует масса вещей, о которых ты не имеешь ни малейшего представления, да и не нужно тебе о них знать! В ответ Алиса разразилась очередными упреками:

«Ах, как мило, как мило, что ты пишешь мне так часто. Конечно, это очень приятно, я очень рада, когда приходят твои письма. Но, cher Loui, твои письма напоминают детские... Да и то я была бы изумлена, если бы наши дети писали мне такие послания, где нет ничего, кроме сведений о блюдах, съеденных за обедом, о маршруте их прогулок, где все покрыто флером детской наивности или глупости.

Но, когда так пишешь ты, ты ограничиваешь меня в моем жадном интересе к тебе и твоим делам... Когда от тебя я получаю эти жалкие отписки вместо подлинно супружеских писем...

Не сомневаюсь, что мы привязаны друг к другу, но эта привязанность далека от любви. Ты не представляешь, насколько сильно я разочарована! Невыносимо разочарована! Я ехала в Дармштадт, любя тебя и желая видеть в тебе истинного спутника жизни. Поверь, с человеком, с которым можно делиться интересами, духовными запросами и радостями удовлетворения этих запросов, я была бы счастлива где угодно, не обязательно во дворце, но даже в скромной хижине. Я мечтала о супруге, любовь которого ограждала бы и защищала бы меня от мира, от тех бед и забот, которые несет он — и гнет которых еще больше отягощен моей собственной, такой непростой натурой, моей экзальтированностью, моей богатой фантазией.

Если бы ты мог знать, до какой степени я огорчаюсь, когда смотрю сейчас на пройденный нами путь и вижу, что, несмотря на мои самые добрые намерения и многочисленные усилия, эти надежды разбились вдребезги... Возможно, тебе, любимый мой, кажется, что я к тебе несправедлива в этих упреках, что зря взваливаю на тебя вину за неудачи в нашей жизни... ну что ж, вероятно, ты прав, возможно, я сама во всем виновата.

Ведь ты тоже разочаровался во мне, и видеть это твое разочарование мне особенно мучительно. Я тоже не такая женщина, с которой ты желал бы провести жизнь. Остается лишь признать свою вину. Но теперь нельзя вернуться назад и заново прожить уже прожитые годы — так будем же помогать друг другу в покое, счастье и взаимном уважении. Напоминать друг другу о прошлом, о прошлых обидах или неудачах — это все равно что надевать друг на друга оковы, а я мечтаю всего лишь быть тебе другом, быть нужной тебе.

Вспомни, как часто я хотела побеседовать с тобой о по-настоящему серьезных вещах, как часто у меня возникала в этом потребность, но ты не отвечал мне, и мы так и не смогли понять друг друга. Я чувствую, что подлинное единение любящих — такое единение для нас невозможно, ибо мы слишком разные, наши мысли идут по разным путям и никогда не смогут совпасть. На свете так много всего, без чего я не могу обходиться, но ты об этом ничего не знаешь. Если я расскажу, ты не сможешь понять, ты усмехнешься снисходительно... О, ты лучший из мужей, твоя доброта ко мне огромна, ты необычайно заботлив и нежен. Я люблю тебя, мой дорогой, дорогой супруг, и именно поэтому меня настолько сильно печалят мысли о том, что жизнь наша далека от совершенства, что порой мы с трудом находим общий язык... Но я не виню тебя, никогда не виню тебя...»

Когда великий герцог читал это нанизывание словес, это повторение одного и того же на разные лады, ему казалось, будто он читает некий роман, настолько натянутыми, выдуманными, ненатуральными казались ему страсти, обуревавшие жену. Письма, чудилось, шли из головы, а не из сердца. В словах жены Людвиг не находил истинного пыла — в них была маниакальная страсть к преувеличениям, к высасыванию из пальца трагедий, продиктованных поведением любимых книжных героинь (а Алиса непотребно много читала чувствительных романов!) и желанием прожить жизнь не свою, а какой-нибудь там леди Мэри, или мисс Аделаиды, или этой, как ее... да ну их к бесам, всех этих глупых девок!

Нет, совершенно верно писала Алиса, что она сама себе придумывала беды, сама отягощала гнет внешнего мира буйством своей фантазии!

К несчастью, подобное наслаждение душевной истерией герцог Людвиг порою замечал в своей второй, самой красивой дочери Элле... И ее болезненная страсть видеть не явную жизнь, а жизнь придуманную, более того — пытаться втиснуть жизнь явную в прокрустово ложе самостоятельно вырезанных, вызолоченных, разукрашенных рамок — его очень пугала.

У Эллы была страсть класть рядом с собой на подушку что-нибудь, например бант, который она носила целый день. Не развязанную ленту, а именно бант. И она доводила до нервных припадков себя, а до слез — служанок, которые осмеливались бант не завязать или завязать не в точности с той же аккуратностью, с какой он был «создан» днем. Элла заливалась слезами над «бедным бантиком», засыпала, уткнувшись в него лицом и шепча ему нежные слова... А утром забывала про него начисто, вечером на ее подушке лежал другой фаворит...

Обычно говорят в таких случаях, что девке надо мужа хорошего, который своей палкой из нее всю дурь выбьет. Под палкой подразумевается не трость, не дубинка, не прут, не шпицрутен и не всякие прочие «ударные инструменты». Под палкой подразумевается понятно что. Великий герцог Людвиг уповал бы на сие, кабы не пытался всю жизнь своей собственной палкой переделать мать Эллы. Однако Алиса родила семерых детей, но от истерической меланхолии не избавилась до самой смерти. Возможно, конечно, палка была не та, и, как ни страдало самолюбие великого герцога при этой мысли, он ее все же допускал... И лишь надеялся, что Элле в этом смысле больше повезет. Правда, она болезненно застенчива, она даже моется сама, никого к себе не подпуская, и показывается перед горничными только в сорочке... Но, конечно, с возрастом это пройдет, особенно если муж окажется настойчив. О принце Вилли и его настойчивости по отношению к женщинам ходили слухи самые баснословные... Даже если эти слухи делить на два, а великий герцог, как человек понимающий, так и делал, все равно выходило, что Вилли оснащен природой более чем щедро... На этот брак Людвиг весьма надеялся, и каково же было его горе, когда Элла наотрез отказалась выходить замуж за кого бы то ни было, поклявшись навсегда остаться девицей («Ни один мужчина никогда не увидит меня обнаженной!» — воскликнула она со знакомой и столь удручающей Людвига нервической пылкостью), — и практически одновременно с этим до него дошла весть, что Вилли категорически отказывается от всяких притязаний на руку Эллы и предпочтет видеть своей женой кого угодно, только не эту *Спящую Красавицу*.

Вообще-то Вилли хотелось употребить другое слово, но он умел быть дипломатом. Когда хотел.

* * *

Ярмарка располагалась на Сенной. На одной стороне площади вот уже три недели, начиная с марта и до самого Благовещения, строили балаганы и прокладывали деревянные тротуары. И стоило настать Благовещению, как все, дети и взрослые, стар и млад, — поспешили на ярмарку. Играл военный оркестр, и Эрик невольно расправил грудь, подтянулся, хотя звучали только вальсы и польки. Волны звука накатывали — и улетали, кружили голову... Эрик был изумлен, насколько счастливыми все выглядели на этом сияющем солнце. Чудилось, каждого зажег лучик Лелиной улыбки.

Кругом стояли красочные ларьки с игрушками, тюками материй, старинными вещами, украшениями, книгами и сладостями. Леля так пристально разглядывала леденцовых, на палочке, петушков, что бойкий торговец пристал к Эрику:

— Купи девке леденчика, слаще целоваться будет!

Эрик чуть было не отправил свой кулак по направлению к его физиономии, однако Лелин локоток дрожал под его рукой — она насилу сдерживала смех, — и Эрик, сняв перчатку, сунул руку в карман... к своему изумлению, обнаружив там копеечную монету. В обмен он взял у болтливого торговца петушка на палочке — розового, как платье Лели, — и она сразу начала его лизать. Почему-то когда Эрик видел ее губы и язык, которые вкрадчиво касались головы и хвоста петушка, у него мутилось в голове.

Вокруг расхаживали продавцы воздушных шаров и мальчишки, предлагающие водяных чертиков. Это была самая модная игрушка. Выглядела она как стеклянная пробирочка с водой, сверху затянутая резиновой пленкой. Внутри плавал крошечный стеклянный чертик с рожками, хвостиком и выпученными глазками. Он держался на поверхности воды, но, стоило нажать пальцем резиновую пленку, он опускался вниз, крутясь вокруг своей оси, затем снова поднимался.

Эрик и Леля смотрели на бесов как завороженные. Да и все вокруг смотрели на них так же. Чертенята выглядели совершенно живыми, веселыми и озорными.

Леле очень хотелось купить водяного чертика, и у нее в карманчике платья лежало два пятака, которые ссудила ей верная Анюта (у самой барышни Карнович в жизни своей копейки не было), однако она удержалась. У нее были на эту ярмарку куда более серьезные виды, чем с чертиками играть! Это, конечно, очень хорошо, что Эрик не был больше таким... застегнутым на все пуговицы, словно бы даже говорящим по стойке смирно, он стал проще, доступней и еще красивей (а Эрик был одним из самых красивых мужчин из тех, которые крутились вокруг Лели!), он словно бы даже моложе сделался, но вовсе впадать в детство Леля не собиралась ему позволить. Поэтому — не до глупых игрушек городской бедноты!

Эрик даже не замечал, что, вроде бы бесцельно бродя по ярмарке, они на самом деле двигались в определенном направлении, причем Лелина мягкая ручка направляла выбор этого направления пусть и незаметно, но властно и настойчиво. И вот они вдруг — вдруг! — оказались перед небольшой деревянной загородкой, расписанной пальмами, храмами, слонами, леопардами, людьми в тюрбанах...

Около загородки на шатком сиденье примостился человек в больших круглых очках и помятой шляпе. На нем был сюртук — страшно поношенный, да еще с чужого плеча. Вид человек имел невероятно жалкий. Однако при виде приближающейся пары он вдруг вскочил — сиденье его оказалось тростью-стулом, очень популярным у художников, стариков и прочего никчемного, по убеждению Эрика, сброда, — оживился и хрипло воскликнул:

— Насладитесь путешествием в Индию! Прошу вас! Незабываемые впечатления! Иллюзорные картины!

Эрик поглядел на загородку с презрением и попытался было пройти мимо, однако Леля стиснула его руку, давая знак остановиться, и весело спросила у человека в очках:

— А как же мы туда попадем? Воздушного шара я не вижу, а пешком далеко!

— Зачем вам воздушный шар? — изумился человек. — Вы только войдите вон туда, накройтесь черным покрывалом — и начнутся чудеса чудесные! Вмиг попадете в Индию!

— Вмиг? — недоверчиво спросила Леля.

— Клянусь! — приложил руку к сердцу человек.

— Бросьте, Ольга Валерьяновна, — пренебрежительно сказал Эрик. — Ничего интересного, уверяю вас. На самом деле это называется панорама. В рамочку поочередно всовываются картинки — а мы их смотрим через особенное увеличительное стекло. Я такие штуки уже видел. Путешествие в Индию... Ха-ха! Обыкновенное шарлатанство!

— Господи, да что ж на свете не шарлатанство? — с изумлением спросил хозяин загородки. — Куда, извините, ни плюнь... Я хоть не скрываю, что иллюзиями головы людям морочу. А прошу за сие всего какой-то пятачок. С человека. Но коли вы пройдете вдвоем и вдвоем станете смотреть, одновременно, то оба за пятачок сможете полюбоваться.

— Полюбоваться! — фыркнул Эрик. — Было бы там чем любоваться!

И тут же он сам себе ужаснулся. Воистину, костюм лакея произвел на него разрушительное воздействие! Представить, чтобы конногвардеец Пистолькорс вступил в разговоры с этакой потертой шушерой, как сие ничтожество с этим его стулом-тростью, — невозможно прежде было такое представить! А теперь оный Пистолькорс с этой шушерой не только разговаривает, но даже пререкается!

Эрик прикусил язык и понурился, отчаянно пожалев, что поддался на Лелины уговоры. Но вот ее пальцы скользнули в его ладонь — и он снова ощутил себя счастливым, и мир вокруг засиял многоцветно, и даже у потертой шушеры сделалась вполне человеческая и даже приятная, хоть и по-прежнему жалкая физиономия.

— Пойдемте, Эрик! — взмолилась Леля. — Пойдемте, а? Вы это видели, а я-то нет! Мне ужасно любопытно! А пятачок у меня есть, мне Анюта дала. Пойдемте!

И, не дожидаясь согласия своего спутника, она прошмыгнула в загородку.

Посреди плотно убитого ногами клочка земли стояло просторное деревянное кресло с прямой, очень высокой спинкой, на которую была накинута черная материя, а напротив нее — треножник с подставкой. На подставку водружен был ящик, который выглядел весьма таинственно и внушительно благодаря выпуклому стеклу, которое было прикреплено к одной из его сторон.

— Скорей, скорей! — Леля оживленно села в кресло, похлопала около себя ладонью: — Садитесь, Эрик, вон тут сколько места!

В самом деле — сиденье выглядело весьма широким, однако лишь только Эрик сел, как ему почудилось, что кресло их обоих с Лелей странно стиснуло. Или он сам, конногвардеец Пистолькорс, оказался не столь уж строен, как ему всегда казалось?.. Словом, они теперь были самым интимным образом прижаты друг к другу.

— Может, я лучше постою? — нерешительно промямлил Эрик, однако шушера замахал руками:

— Чтобы что-нибудь увидеть, надобно сидеть, а если угодно глядеть в одиночестве, то придется еще один пятачок платить.

— А у меня больше нету, — слукавила Леля. — И что такое, Эрик, вы что, не желаете рядом со мной сидеть?! Да окажись тут Феденька Ненароков, или тот француз из посольских, Лепелетье, или...

Она не договорила, умолкла негодующе, да не требовалось и продолжать: Эрик уже вообразил сонм Лелиных поклонников, которые полжизни отдали бы, лишь бы оказаться на его месте, — и, осознав свою глупость, свое пренебрежение к дару судьбы, словно прилип к жесткому сиденью кресла.

— А теперь одну минуточку, господа, — сказал шушера, — только одну минуточку! — И с этими словами он накинул на голову Лели и Эрика черную ткань, заодно натянув ее и на треногу, так что молодые люди оказались как бы в некоей светонепроницаемой палатке.

— Ой! — сказала Леля и прижалась к Эрику еще ближе. Теперь ее локоть касался его бока, и что-то было очень странное в этом прикосновении, но он никак не мог понять, в чем же странность.

Да еще и чертова шляпа поехала на глаза... Эрик поспешно снял ее, нечаянно толкнув Лелю, хрипло извинился...

— Знаете что, — пробормотала Леля, — вы закиньте руку на спинку кресла, а то очень уж тесно.

Эрик торопливо исполнил ее просьбу. При этом ладонь его ненароком скользнула по боку Лели, а потом по ее груди — и он вдруг сообразил, что казалось ему странным. На Леле не было корсета! Под платьем — тело, живое женское тело...

Ну да, она ведь надела платье горничной, а горничные корсетов не носят!

У Эрика зашумело в голове. Ему приходилось обнимать женщин без корсетов и даже трогать их голые груди. Что тут скрывать, он порою хаживал к дамам, которые сделали любовь своим промыслом. Страсти с мальчишками он брезгливо ненавидел, а предаваться утехам с женщинами ему очень нравилось, как, впрочем, и большинству его приятелей. Собственно, благодаря одной из таких дам Эрик впервые отведал плотской любви. А что такого?! Надо же с кем-то это испытать! Не с приличными же барышнями, верно? Опять же, муж должен обучать свою жену науке страсти нежной, которую воспел Назон, а для этого он сам прежде всего должен пройти курс, либо ускоренный, либо подробный, это уж кому как повезет. Но, как это ни странно, в его мысли о Леле никогда не вкрадывалось вожделение. Вернее сказать, Эрик гнал его от себя, считая чем-то непристойным и оскорбительным по отношению к приличной девице из приличной семьи. Но сейчас вдруг почудилось ему, что не Леля сидит здесь рядом, и не ее невинная грудь нервно вздымается под его заблудившейся рукой, а находится здесь какая-нибудь Зизи (или Нана, или Мими... отчего девочек в приватных заведениях всегда называют этакими собачьими кличками?!) — в кружевной рубашечке и панталончиках с воланчиками и оборочками, а может, и без оных кружавчиков, совсем-совсем голенькая... Ах, чудится, полжизни отдал бы сейчас Эрик за то, чтобы оказаться в обществе именно такой особы, чтобы штаны расстегнуть да схватить ее, да насадить на то, что из штанов так и рвется!..

Ну где же чертова Индия?! Чего медлит шушера?! Может, картины, пусть даже и иллюзорные, отвлекли бы Эрика от нестерпимого телесного томления?!

Слава те! Впереди слабо засветился прямоугольник, на котором возникло светлое видение большого белого храма, который был странно выпуклым, несколько даже пузатым, — наверное, благодаря увеличительному стеклу. Леля даже фыркнула от смеха! Потом храм задергался и поехал вправо, а слева на его место вдвинулась очередная картинка, на которой изображен был огромный слон. Ну, слону пристало быть пузатым, поэтому вид его не вызывал насмешки. Затем явилось изображение полуголого и тоже пузатого человека в тюрбане, с дудкой в руках. Перед человеком изогнулась в виде вопросительного знака змея. Картинка начала сдвигаться, предоставляя место другой, да вдруг застряла и задергалась. Видимо, хозяин аттракциона пытался ее вытащить, да не мог. Нарисованная змея извивалась почти как живая. Леля слабо пискнула и еще тесней прижалась к Эрику. Его словно огнем пронзило: вообразилась теперь уже не какая-нибудь Нана или Зизи, а Леля в одежках Нана или Зизи... в смысле, без одежек...

— Леля... вы... Ольга Валерьяновна... — прохрипел Эрик.

Он сам не соображал, что говорит. Вообще не надо было говорить! Надо было действовать!

Он повернул голову — и оказалось, что Леля в это мгновение тоже повернула голову. Их губы сошлись — и тотчас, без малейшего промедления, приникли друг к другу в жадном поцелуе. То есть жадно впивался именно Эрик, а Леля просто подставляла ему свой невинный ротик, однако ее слабые стоны, звучавшие в унисон его страстным, давали ему понять, что ей, пожалуй, приятны эти поцелуи, а может быть, даже и весьма, а то и чертовски!

Губы ее в самом деле были сладки — не обманул продавец леденцов!

— Великодушно извините, господа! — вдруг загремело над головами целующихся, подобно гласу тех труб бараньих, в которые вострубят архангелы Михаил и Гавриил, призывая грешников на Страшный суд, и наши юные грешники отпрянули друг от друга, насколько позволяла ширина, вернее, ужина кресла.

— Христа ради, простите! — продолжали греметь «рога бараньи», и Эрик не тотчас сообразил, что это всего лишь голос шушеры. — Заминочка вышла. Вы еще чуток посидите в темноте, подождите, я картиночку поправлю... или, возможно, желаете, чтобы я покрывало снял?

— Нет! — разом вскрикнули Эрик и Леля — и снова соединили уста свои в поцелуе, как выразился бы какой-нибудь, к примеру, Пушкин, доведись ему описывать сию ситуацию (надо сказать, что о Пушкине Эрик слышал лишь то, что был оный стихоплетом и знатоком по части плотских утех, поэтому его имя и пришло в конногвардейскую голову). А тем временем поцелуй, сопровождаемый также и объятиями, пылкость коих сурово регулировалась рамками кресла, длился, и длился, и продолжался неведомо сколько, пока вдруг «рога бараньи» не вострубили вновь:

— Готово! Можно снова глядеть!

Губы разомкнулись, головы отвернулись друг от друга, глаза обратились на движение пузатых картинок. Эрик, впрочем, ничего не видел, волны взбаламученной крови застилали зрение.

Ах, какие у нее губы, какой нежный стан, какие упругие груди... Где там помятым, залапанным мими-зизи-нанашкам! Век бы ее ласкать, век бы ею обладать!

Вот явиться к ее родителям и сделать предложение!

И тут же им овладело привычное уныние. Явиться-то он явится, но ведь совсем даже не факт, что его предложение будет благосклонно принято. Что с того, что они с Лелей любят друг друга! То и дело, там и сям, и от старых, и от молодых можно слышать обветшалые, но все еще вполне жизнестойкие рассуждения о том, что любовь — это одно, а жизнь — другое, что от браков по любви нет никакого толку, что они скоро разрушаются и делают мужа и жену несчастными, в то время как разумный и трезвый расчет способен обеспечить надежную и взаимовыгодную семейную жизнь. Нет, Лелю ему не отдадут. И его родители будут против...

И Эрик Пистолькорс погрузился в пучину уныния оттого, что счастье для него невозможно, что другому достанется прелесть и очарование Лелиной юности, сладость ее губ, упругость ее грудей, что другой сорвет цветок ее, с позволения сказать, невинности...

— Эрик, вы любите стихи? — спросила вдруг Леля.

— Чего-с? — печально выдавил он, вырываясь из плена своих тяжких размышлений. — Ах, стихи! Пушкина... конечно!

До чего кстати Пушкин пришел на ум, до чего кстати!

— И я очень люблю стихи, — прошептала она. — Хотите, прочитаю одно?

И, не дожидаясь ответа (видимо, понимая, что слово «нет» прозвучать никак не может!), заговорила очень тихо, почти шепотом, но как-то так, что каждое слово проникало в сердце Эрика:

> Я не могу забыть то чудное мгновенье,
> Когда впервые я увиделась с тобой!
> В тебе мои мечты, надежды, вдохновенье,
> Отныне жизнь моя наполнена тобой!
> В тебе, мой друг, еще сильно стесненье,
> Условности не можешь позабыть,
> Но лик твой выдает твое смятенье,
> И сердцу твоему уж хочется любить!
> И я люблю тебя! Я так тебя согрею!
> В объятиях моих ты сразу оживешь.
> Ты сжалишься тогда над нежностью моею
> И больше, может быть, меня не оттолкнешь!

Эрику показалось немного странным, что Пушкин написал сие стихотворение от имени дамы. А может, это вовсе никакой не Пушкин?

— И кто автор сих чудных строк? — вежливо осведомился он и так и вздрогнул, услышав ответ:

— Это мои стихи!

Конечно! Как он мог забыть про Лелино увлечение всякими искусствами! Когда они познакомились — а это случилось на вечеринке в честь дня ангела Манечки Стерлиговой, Лелиной гимназической подруги и дочери господина полковника! — Леля читала в Манину честь какую-то стихотворную безделку, очень забавную... конечно, Эрик больше смотрел на чтицу, чем внимал рифмованным глупостям, но все же забывать такое не стоило!

— Я так и думал, — соврал он. — А когда вы их написали?

— Помните именины Мани Стерлиговой?

— Вот это да, — простодушно обрадовался Эрик, — я как раз это вспомнил, мы ведь там с вами и познакомились!

И замер, пораженный внезапной мыслью. В стихах была эта строчка... «Я не могу забыть то чудное мгновенье, когда впервые я увиделась с тобой!» Какое мгновенье Леля имеет в виду?.. Впрочем, эта мысль показалась конногвардейцу слишком смелой, и он побоялся дать ей волю.

— А вы не предполагаете, — осторожно спросила Леля, — кому эти стихи посвящены?

Его так и пронзило догадкой, счастливой догадкой!

Господи! Да неужели!

— Леля... Ольга Валерьяновна!.. — пролепетал он, снова поворачиваясь к ней и приникая губами к ее губам.

Они даже не заметили, как черный занавес с них пополз, и вновь ударил громовым раскатом голос шушеры:

— Ну как, господа? Вам понравилось?

Они отшатнулись друг от друга, едва не свалив кресло, вскочили в панике.

Шушера поглядел, как Эрик торопливо нахлобучивает шляпу, а Леля покрывается платочком, окинул взором их пунцовые от смущения физиономии и припухшие губы девушки — и констатировал:

— Вижу, что да!

Эрик косился на Лелю — она отводила глаза и все поправляла, поправляла свой платочек — и понимал, что времени для сомнений у него больше нет. Мало того, что они целовались, — посторонний человек видел их целующимися, и никакой роли не играет, что это с точки зрения конногвардейца и не человек никакой вовсе, а так... шушера! Леля скомпрометирована... теперь никакие посторонние соображения не имеют значения. Теперь благородный человек должен поступить однозначно: сделать предложение. И, невзирая на протесты родителей, стоять на своем.

— Ольга Валерьяновна, — произнес Эрик, становясь во фрунт, — прошу вашей руки и сердца. Согласны ли вы стать моей женой?

— Да, — пробормотала Леля, — да, я согласна! Теперь мое сердце в ваших руках! Но ах, как все это неожиданно!..

Ну наконец-то можно было поцеловаться без всякого стеснения, невзирая даже на шушеру!

Между тем шушера прижмурил один глаз. Вчера на ярмарку пришла девушка со светло-русой косой, одетая в розовое платьице и беленький платочек, и дала ему целковый с условием, что, когда появится другая девушка в этом же самом платье,

Еще одна из дома Романовых

он оставит ее с ее кавалером под черным покрывалом самое малое на четверть часа. А потом покрывало внезапно сдернет.

Тертый калач немедля понял, для чего сие потребовалось. И сейчас благосклонно кивал, наблюдая и успех предприятия, и справедливость своих догадок.

В почти непереносимом ощущении счастья шли они с ярмарки. Эрик, на руку которого опиралась Леля, уже не оттопыривал целомудренно локоть, а напротив, прижимал его к боку девушки как можно крепче. Он знал, что сделает теперь все, чтобы ускорить их свадьбу и получить законные права прижиматься к ней не только локтем, и не мог понимать, почему не сделал предложения раньше, почему был так нерешителен. Как он мог сомневаться в себе? Как мог не замечать, что Леля влюбилась в него с первого взгляда? Иначе разве она написала бы такие стихи? Ах, как чудесно, чудесно складывается жизнь!

Теперь поскорей явиться к ее родителям — и...

В это мгновение всадник в форме гусара лейб-гвардии Гродненского полка — в темно-зеленом доломане[1], расшитом серебряными шнурами, в малиновых, с серебряными лампасами, чакчи-

---

[1] Д о л о м а н — короткая (до пояса) однобортная гусарская куртка со стоячим воротником, расшитая на груди у офицеров золоченой или серебряной шнуровкой (согласно присвоенному полку цвету «приборного металла»).

рах[1] и сверкающих ботиках[2], пронесся мимо, круто заносясь, почти ложась на поворотах, и на миг очутился так близко от Эрика и Лели, что бок его карего коня[3], зеркально блеснув, оказался почти рядом с ними... Копыто чиркнуло по мостовой, высекло искры... Всадник успел оглянуться, из-под козырька кивера блеснул яркий глаз, сверкнули белые зубы в удалой улыбке, а потом вдруг на полном скаку он спрыгнул с коня, пролетел по воздуху вслед за ним, держась за седло и гриву, и легко, словно без малейшего усилия, вновь вспорхнул в седло. Вслед за ним пронеслись еще четыре всадника в такой же форме, горяча коней и не без усилий пытаясь повторить тот же лихой трюк, который первый наездник совершил как бы невзначай, словно играючи (отчего один из его эпигонов едва не свалился наземь, не тотчас попав в седло), — и исчезли так же внезапно, как появились.

Леля зачарованно уставилась им вслед:

— Кто это?

— Великий князь Павел Александрович, шеф гродненских гусар, со свитой, — ответил Эрик, с долей ревности ловя отсветы восхищения, которые

---

[1] Ч а к ч и р ы — гусарские штаны прямого покроя со штрипками внизу. Чакчиры заправляются в б о т и к и. Цвет чакчир был различный в каждом полку. По боковым швам вшивали узкие лампасы из золотого или серебряного галуна. Чакчиры считали элементом парадной формы. Иногда на них или вместо них надевали р е й т у з ы со штрипками, но их не заправляли, а носили поверх ботиков.

[2] Б о т и к и — низкие, чуть выше середины икр, узкие сапоги.

[3] К а р я я м а с т ь — вороная с темно-бурым отливом.

долго еще не гасли в Лелиных глазах, и давая себе слово непременно научиться таким вольтижерским уловкам и продемонстрировать их невесте.

...Вот так судьба порою высвечивает перед нами неким таинственным образом грядущие события или хотя бы дает на них намек, но человек слишком озабочен настоящим, чтобы своевременно заглянуть в будущее!

* * *

— Да ты спятила, женщина? — вскричал Вилли, падая на пол. И взвизгнул от боли — несмотря на то, что пол его спальни был устлан коврами, ударился он очень чувствительно, причем именно локтем левой — увечной — руки. — Ты спятила, дура?! Ты столкнула меня с кровати... меня... Пошла вон, и чтоб я тебя больше не видел!

— Не волнуйся, я и сама не вернусь, недоносок! — прошипела Амалия, вскакивая с кровати и запахиваясь в пеньюар. — Мне надоело быть vase de nuit[1], в который ты изливаешься, думая о другой!

Вилли опешил:

— Что, опять?.. Снова? Но я же... я старался...

— Старался он! — взвизгнула Амалия, поворачиваясь так резко, что каблуки ее изящных туфель без задников зарылись в ворс ковра, и она едва не упала. — Ты наяривал, да, но не меня! Ты засаживал, да, но не мне! Ты оттопыривал мохнатку, да, но не мою.

---

[1] Ночной горшок *(франц.)*.

Ты сношался, да, но не со мной! Под тобой лежала я, да, но терся ты не об меня, а по-прежнему о свою Спящую красавицу, вернее, об эту сонную гессенскую муху! О свою гемофиличку!

— Ты соображаешь, что говоришь?! — заорал Вилли так, что вопль его достиг самых отдаленных уголков burg Hohenzollern, замка Гогенцоллернов, и слуги повыскакивали из своих комнат и начали собираться к покоям принца.

Но им не удалось услышать ничего, потому что у Вилли от крика оказался сорван голос, и он мог только шептать, а Амалия от ярости шипела, как змея, и поэтому все, что было сказано, так и осталось между ними.

— Ты соображаешь, что говоришь? — хрипел Вилли.

— Конечно, еще бы! — шипела Амалия. — И я говорю правду! Помнишь сказку про Спящую красавицу? Она уколола палец — и умерла. А ты знаешь, как умер Фрицци, брат твоей ненаглядной Эллы? Ты знаешь?

— Ну, он вроде бы выпал из окна и расшибся насмерть... — пробормотал Вилли. — А что, не так?

— Так-то оно так, — буркнула Амалия, — но все же не совсем так!

...Второму сыну великого герцога Людвига и Алисы было три года. Все случилось так внезапно! Разыгравшись, Фрицци вбежал в спальню матери. Алиса играла на рояле — она была великолепной музыкантшей, о ее исполнении вдвоем с Иоганном Брамсом его «Венгерских танцев» ходили легенды, музыка всегда оставалась самой большой страстью Алисиной жизни! — не что иное, как «Похоронный марш» Шопена. Душа ее была обуреваема очередным приступом боли и печали — не то реальными, не выдуманными. Музыка не понравилась Фрицци, он споткнулся, побежал вперед... И с разбега ткнулся в высокое французское окно, которое начиналось чуть выше пола и заканчивалось чуть ниже потолка. Окно оказалось не заперто, створки распахнулись — и Фрицци с высоты третьего этажа упал на каменные ступени лестницы, на которую выходило окно.

Он не слишком пострадал при падении, на теле осталось только несколько ран... Однако к вечеру мальчик умер, потому что остановить кровотечение оказалось невозможно.

— ...Ты же знаешь — Виктория Саксен-Кобург-Заальфельдская, мать английской королевы, принесла заразу в кровь своих детей, — продолжала Амалия. — И она передалась внукам.

— Но мой дядя Эдуард, наследник английского престола, здоров! — возразил Вилли.

— Вспомни твоего дядюшку Леопольда, который умер, упав с лестницы! — фыркнула Амалия.

— Но брат Эллы, Эрни, недавно упал на охоте, расшибся — и с ним ничего не произошло! — упрямо твердил Вилли.

— Значит, ему повезло. Значит, всю заразу принял на себя бедный Фрицци. Но кто-то из сестер Эллы — Ирена, Виктория, малышка Аликс или она сама — передаст гемофилию своему потомству. И ты готов рисковать, рожая детей от женщины, в крови которой, возможно, гнездится страшная зараза? — в упор посмотрела на него Амалия. — Неужели ты не способен сейчас рассуждать не просто как похотливый мальчишка, а как будущий король? Ты не имеешь права ставить под угрозу будущее своей семьи и своей страны!

Вилли плашмя упал на кровать. Амалия наконец вытащила свой каблук из ворса ковра и двинулась было к двери, и Вилли слабо похлопал по кровати рядом с собой:

— Не уходи! Вернись, Амалия, мне...

Он чуть не сказал: «Мне страшно!» — но все же не сказал. Однако Амалия поняла. Она с жалостью поглядела на принца... Конечно, он еще мальчик, глупый мальчик, который впервые задумался о том, какой ужас может сулить ему будущее. Разве не кошмар — годы и годы, например, ждать рождения сына, потом наконец взять на руки этого младенца — и узнать, что отныне вся твоя жизнь будет затемнена страхом за него. Вот он играет, веселится, вот он бежит... А что, если упадет?!

Вилли дрожал крупной дрожью, и Амалия прилегла рядом, натянула на них обоих одеяло.

— Тише, мой хороший, успокойся! Я здесь.

— Как ты думаешь, она знает? — пробормотал Вилли.

— Может быть, — вздохнула Амалия. — Наверное... она ведь знает, отчего умер ее брат.

— Боже мой, да как же эти гессенские девчонки могут мечтать о женихах, о семьях, о детях, если они... — Вилли задрожал и тесней прижался к Амалии. — А как ты думаешь, может быть, Элла именно потому отказывала мне, что знала об этом? Если так... получается, она спасала меня?

Амалия искоса поглядела на своего любовника. Еще не хватало, чтобы его вожделение к Элле окрасилось восхищением ее жертвенностью!

— Ты слишком хорошо думаешь об этой девчонке, — буркнула она. — Ты ей просто не по душе. Наверняка она считает, что ты недостаточно хорош для нее, мой славный Вилли. Она то мечтает уйти в монастырь, то...

Амалия прикусила язычок. Она не слишком-то доверяла сплетням. И хотя подкупленная ею одна из горничных Гессен-Дармштадтской семьи порою приносила интересные сведения о странных привычках Эллы, и среди этих привычек были такие, которые могли показаться странными, если не отталкивающими, Амалия все же боялась рассказать об этом Вилли. Он начнет болтать языком, еще разразится скандал... И если герцог Людвиг упрекнет принца в том, что он распускает дурные слухи о его дочери, Вилли без колебаний разболтает, какая сорока принесла ему на хвосте эти сплетни. И все грехи падут на бедную голову Амалии Клопп. А ведь Амалия еще не готова к тому, чтобы оказаться изгнанной за пределы Прусского королевства. Сначала она намеревалась собрать побольше денег. Одинокой женщине не на кого рассчитывать, кроме себя. Амалия не собиралась выходить замуж. Мужчины ей до смерти надоели! Она хочет жить одна, делать то, что ей заблагорассудится, не связываться ни с кем, никому не подчиняться. Но свобода — очень дорогая игрушка. Пока что она не по карману Амалии Клопп. Еще бы лет пять продержаться рядом с Вилли... При прочих своих недостатках он совершенно не скуп. Конечно, Амалия уже собрала кое-какие средства; к тому же она предприняла некоторые шаги, чтобы обеспечить свое будущее, если Вилли вдруг раньше захочет от нее избавиться. Он совсем недавно подарил любовнице свой портрет с очень смелой, можно сказать, рискованной надписью. Кроме того, она хранит несколько его любовных посланий... Если Вилли когда-нибудь спохватится и решит вернуть портрет и письма, ему придется выложить кругленькую сумму, вернее, помесячно выкладывать такие суммы, чтобы Амалия держала язык за зубами и не делилась воспоминаниями о тех временах, когда она просвещала наследника прусского престола. Но это — дело будущего[1].

---

[1] Это исторический факт — Амалия (иногда ее называют Эмили) Клопп до конца жизни (она умерла в 1893 году) жила на средства, которые ей выплачивала германская казна по приказу императора, опасавшегося ее шантажа с этой злосчастной фотографией и записками. Что именно там было написано, так и осталось тайной, ибо сии материалы оказались, по завещанию Амалии, уничтожены ее нотариусом немедленно после ее смерти. (*Прим. автора.*)

А пока следует быть осторожной и остановиться на пути разоблачений малышки Эллы. Хотя... хотя, конечно, очень интересно было бы посмотреть на выражение лица Вилли, если бы он узнал, почему все-таки Элла не подпускает к себе горничных, когда моется...

* * *

Свадьба Эрика Пистолькорса и Лели Карнович стала одним из тех событий, которые внешне кажутся блестящими и радостными, однако блеск и радость — не более чем мишура, приклеенная к рубищу повседневности, к тому же приклеенная плохо. Ей предшествовали бурные беседы родителей с детьми (в смысле, родителей Эрика — с ним, а родителей Лели — с ней). Все беседы сводились к тому, что и тот и другая могут сделать гораздо более блестящие и выгодные партии. Но и Леля, и Эрик даже слышать не желали ни о ком другом. И родственникам пришлось смириться.

Их обвенчали в Соборе во имя Преображения Господня Всей гвардии, где исстари предпочитали венчаться все военные и особенно — конногвардейцы. А потом молодые отъехали на снятую на Гороховой улице новую квартиру в доходном доме Жеребцовой. Пистолькорс, само собой, должен был являться в свой конногвардейский полк, расположенный неподалеку, а Леля собиралась вести жизнь светской дамы — замужней и самостоятельной.

Сказать совсем честно, начало семейной жизни Лелю страшно разочаровало. После сладостных поцелуев под черным покрывалом она ждала столь же сладостного продолжения, но оказалось, что правы те женщины, которые уверяют, что брачная постель доставляет удовольствие только мужчинам, а женщине приходится лишь проявлять покорность и терпение. И никакого блаженства...

Ах, недаром все романы оканчиваются свадьбой. В самом деле — а о чем еще писать?! Но ведь это ложь преизрядная, потому что романы изображают свадьбу некими вратами в счастье, а, оказывается, она ведет лишь к горькому разочарованию. Боль, скука, стыд...

Это что касается ночи. А вот новая дневная роль Леле в первое время очень понравилась. Обустраивать — самой, по своему вкусу, без диктата матери! — семейное гнездышко, наводить в нем уют и красоту, ездить по модным магазинам и лавкам, покупая какие-нибудь нарядные, хорошенькие вещички... обворожительные занятия! На этой почве Леля даже вновь сдружилась с сестрой — Любочкой Головиной, с которой раньше имела довольно прохладные отношения. Но Любочка была великим знатоком гостинодворских лавок, а также магазинов Гвардейского общества и Невского проспекта, и это оказалось необыкновенно важным плюсом в глазах Лели. Так что теперь Люба с удовольствием водила по магазинам молоденькую восторженную сестру. Обе они любили задерживаться на Невском дотемна и любоваться чудом техники — дуговыми электрическими фонарями. Освещен, впрочем, был тогда не весь проспект: лишь от Большой Морской улицы до Аничкова моста. Рассказывали, что найти свободное место для постройки электростанции было непросто. Наконец установили две — на баржах у Полицейского и Аничкова мостов. Однако силы тех электростанций хватило лишь на то, чтобы осветить один участочек Невского. Ходили слухи, что во дворе дома № 27 будет сооружена третья электростанция, так что скоро весь Невский проспект зальется электрическим светом.

Но в основном город освещался газом. Фонарщики с лестницами бегали от столба к столбу, ловко поднимались по легоньким лесенкам, которые носили с собой, к фонарю и зажигали его. На Гороховой, где поселились Пистолькорсы, и на Кирочной, где жили Головины, было газовое освещение, но стоило свернуть за угол, в проулок, как кругом разносился стойкий запах керосина: здесь все еще стояли керосиновые фонари на старых, невзрачных столбах, вокруг которых утром и вечером мельтешили фонарщики с ручными тележками. Утром лампы снимали и увозили, вечером привозили снова, заправленные керосином...

После магазинов дамы катались по набережной Невы или заходили в маленькие и прелестные английские кафе, любуясь оттуда, как важно движется по Невскому конка, наблюдая, как вырастают старые двухэтажные здания, которые теперь надстраивали до четырех или даже пяти этажей. Если приходило в голову погулять в Летнем саду или в Таврическом — в той его части, которая протянулась вдоль Потемкинской улицы (туда пускали только за деньги, это был сад для «чистой» публики), они непременно пили там модный лактобициллин — простоквашу, изобретенную профессором Мечниковым. Несмотря на моду, желающих ее пить было еще мало, но Любочка, чей муж, Головин, был знаком с профессором, считала своим долгом поддерживать всякие новации, особенно bons, как говорят французы, то есть полезные для здоровья.

Впрочем, очень скоро сестры перестали появляться вдвоем и на Невском, и в Гостином дворе, и в Таврическом саду. Нет, они не рассорились, и охота разыгрывать из себя хозяйку дома у Лели не остыла. Все объяснилось просто — она почувствовала себя беременной, да как почувствовала! Ее беспрестанно тошнило, она то и дело падала в обморок, и верная Анюта не отходила от нее ни на шаг в самом буквальном смысле, ежеминутно готовясь подхватить молодую женщину, которая, чуть что, лишалась чувств. Знакомые дамы — а заодно с ними и пользовавший Лелю доктор — сулили ей скорое избавление от недомогания — дескать, после трех месяцев беременности все пройдет, как будто и не было! — однако минули три месяца, и четыре, и пять, а улучшения не наступало. Леля по большей части лежала на кровати, изредка свешиваясь с нее, а проворная Анюта в эту минуту спешила подсунуть ей умывальный таз.

Леля даже не хотела смотреть на себя в зеркало. А что она могла там увидеть? Отекшую физиономию, покрытую красными точками порванных в рвотной натуге сосудиков, с опухшими губами, мешками под глазами и мутными от слез глазами. Она презирала себя, но не могла найти силы, чтобы привести себя в порядок хотя бы к возвращению мужа. Ощущение не просто постоянной тошноты, но и постоянной готовности к рвоте не проходило, и ожидание рождения ребенка превратилось для нее как бы в ожидание окончания срока каторги. Иногда в ее затуманенном мозгу всплывала картина того солнечного дня, проведенного на ярмарке. Как ни странно, больше ей почти нечего было вспомнить — из того времени, которое она провела вместе с Эриком. Даже свадьбу в памяти словно бы пеленой затянуло, собственную свадьбу! А известие о том, что брат государя, великий князь Сергей Александрович, привез в Россию невесту, Элизабет Гессен-Дармштадтскую, что сыграна пышная, волшебная свадьба, что для молодых куплен дворец Белосельских-Белозерских на Невском проспекте, там, где проспект этот пересекается с набережной реки Фонтанки, что дворец теперь называется Сергиевским... это известие, которым в июле жил весь Петербург, вообще словно бы мимо Лелиных ушей пролетело.

Сестра Люба пыталась рассказать о роскошном свадебном торжестве, о туалете невесты, о том фуроре, который произвела в Петербурге ее красота, но Леля ничего не слышала. Для нее ничего не существовало, кроме собственных страданий.

«Ох, Господи! Скорей бы все это кончилось...» — теперь эти слова были ее молитвой. И даже родовые муки сопровождались почти постоянной борьбой с тошнотой, Леля находилась в полусознании и была несказанно изумлена, когда ей сообщили, что родился сын.

Эрик, который явился поздравить жену, сообщил, что решил назвать ребенка Дмитрием. В честь своего деда, которому был обязан своим воспитанием. Ибо именно дед настоял на том, чтобы Эрик выбрал военную карьеру, и вообще — дедовыми связями он был записан в Конногвардейский полк.

— Но как же так, — пролепетала Леля, — мы даже ничего не обсудили, ни о чем не говорили... имя выбирают вместе...

— Душенька, — ответил Эрик, снисходительно приподнимая брови, — ну как же было возможно что-то с вами обсудить, когда вы находились в таком ужасном состоянии?

Леля устало закрыла глаза. Ну ладно, Дмитрий так Дмитрий, это прекрасное имя... Только странно, что Эрик начал снова разговаривать с ней на «вы».

Она долго приходила в себя после родов и не хотела ни принимать гостей, ни даже видеться с мужем. Леля обожала сына, однако больше иметь детей ей пока не хотелось. На счастье, полк Эрика был на маневрах.

Постепенно Леля снова начала выезжать. Сестра заставила ее побывать в театре, однако Леля чувствовала себя слишком разбитой, чтобы получать удовольствие хоть от чего-нибудь, даже от веселого представления, которое ей нужно было всего лишь созерцать.

Она равнодушно смотрела, как блистательная Екатерина Вазем, которая в тот день прощалась со сценой, станцевала свои знаменитые «Дочь фараона», «Камарго» и «Пахиту».

— Да что ты как спишь на ходу?! — сердито воскликнула сестра, отчасти даже обиженная тем, что Леля не оценила ее хлопот: в этот вечер в Мариинке собрался весь свет, царская ложа тоже была полна, великая княгиня Елизавета Федоровна блистала красотой, все взоры были устремлены на нее... Легко ли было раздобыть ложу в театр?!

Спишь на ходу? Леля не обиделась. Она и в самом деле чувствовала, что больше всего на свете хочет спать. Хоть она и не кормила Митеньку, хоть и был он окружен заботой и хлопотами нянек, а все же малое дитя, да и последствия беременности продолжали сказываться. Именно поэтому самым любимым занятием Лели был в это время сон.

Однако в тот вечер поспать Леле не удалось: Эрик явился из Красного Села с маневров и решил посетить жену.

— Вы не вернетесь нынче в полк? — удивленно спросила Леля.

— Нынче — нет, — ответил Эрик.

— Что же, я распоряжусь, чтобы вашу спальню как можно скорей приготовили, — кивнула Леля.

— Можете не трудиться, — ответил муж. — Я намерен провести ночь в вашей спальне.

— Но я, — пролепетала Леля испуганно, — я неважно себя чувствую...

— Если у вас есть силы ездить по балетам, полагаю, вас не затруднит неподвижно пролежать с полчаса, — холодно сказал Эрик.

Муж и жена смотрели друг на друга, и каждый думал об одном и том же: какая дурь ударила им в голову там, на ярмарке?! Что с ними случилось? Как они могли так опьяниться друг другом... и так ошибиться друг в друге? Нет, конечно, Леля знала, что больше всего на свете она мечтала избавиться от перспективы сделаться генеральшей Афанасьевой. Именно для этой цели был выбран Эрик. Не то чтобы она сходила по нему с ума, но он, безусловно, был самым красивым мужчиной среди тех, кто ее окружал. Она тогда думала: какие очаровательные будут у нас дети! В самом деле, Митенька — чудо, просто ангелочек, но этого вполне довольно...

Что еще может дать ей Эрик, кроме этого очаровательного ребенка? Он не любит появляться в свете, все время проводит в полку. Он в восторге от военной жизни, и, сколько Леля помнила, ей эта жизнь тоже понравилась — пока у нее были силы этой жизнью наслаждаться. Жены высших офицеров устраивали приемы, на которые, случалось, хаживал даже генерал-адъютант, генерал от инфантерии, командующий Санкт-Петербургским военным округом великий князь Владимир Александрович вместе с женой, великой княгиней Марией Павловной. Говорили, что не было в Петербурге двора популярнее и влиятельнее, чем двор великой княгини Марии Павловны, которую близкие почему-то прозвали Михень! Леля наберется сил, а потом тоже начнет давать приемы. Главное, чтобы не было скучно... чтобы все не как у всех...

Она вдруг улетела мыслями к этим веселым, непременно веселым и оригинальным вечеринкам, которые будет проводить, но в ту же минуту почувствовала руки мужа на своих плечах.

И вдруг снова вспомнилось, как они сидели под черным покрывалом и целовались до полного умопомрачения. Воспоминание о том сладостном ознобе и сейчас вызвало дрожь в Лелином теле. Она уже успела позабыть, как была разочарована началом своей женской жизни, а потому не смогла сдержать дрожи счастливого ожидания. Но ее снова настигло то же разочарование, которое она уже испытала и в первую брачную ночь, и в те ночи, которые за ней последовали.

...Наутро Эрик уехал в полк, а через две недели у Лели начались уже знакомые ей приступы тошноты. Спустя девять месяцев она родила дочь Ольгу. Вслед за ней — Марианну.

За три года брака — трое детей. Три ночи зачатия. И бесконечные дни и ночи тошноты, головокружений, отвращения к жизни...

После рождения Марианны Леля поняла, что больше не может так жить. Она была настолько измучена физически, что даже к новорожденной не испытывала никаких чувств. Да и старшие дети постепенно от нее отдалялись, вернее, это она отдалялась, всецело перепоручив их нянькам. Леля была еще слишком молода и неопытна, она еще недостаточно хорошо знала себя и не понимала толком, что принадлежит к числу тех женщин, для которых любовь к детям всегда неразрывно связана с любовью к мужчине. Если эта любовь счастливая, она любит и детей. Если сердце пусто или не находит ответной любви, дети словно перестают существовать для нее. И вызывают только раздражение, как досадная помеха.

Да все теперь вызывало у Лели раздражение, все стало досадной помехой! Вслед за осознанием невозможности *такой* жизни пришло нежелание *так* жить, а потом и нежелание жить вообще.

Все надеялись, что это состояние пройдет, вот-вот пройдет, однако оно не проходило. Днем Леля еще как-то держалась, однако ночью сил держать себя в руках не было. Сны ее были наполнены ужасом перед появлением Эрика, и, даже когда он уезжал на маневры в Красное Село, Леля непрестанно боялась его возвращения. Этот страх приобрел характер мании, которая напоминала сумасшествие.

Еще одна из дома Романовых

Спустя месяц после рождения младшей дочери у Лели наступил кризис. Однажды, в состоянии жесточайшего нервного потрясения, почти не сознавая, что делает, она тайно выбралась ночью из дому и побрела, сама не ведая куда...

* * *

Первым делом, зайдя в ванную комнату, Элла всегда проверяла, надежно ли заперта дверь и занавешены ли окна. Эти глупые девчонки, служанки, обожают неожиданно ворваться — якобы чтобы помочь госпоже. А сами так и шарят глазами! Элла совершенно точно знала, что не переживет, если на нее, обнаженную, упадет чей-то любопытный взгляд. Какой стыд! Какой бешеный стыд! После этого только сразу покончить с собой. Она даже очень открытые платья стыдилась носить. Ни в коем случае не декольте! Только слегка опустить вырез ниже ключиц. И непременно цветок или бант по краю выреза, чтобы на виду осталось как можно меньше голого тела. И вообще — она предпочитала носить платья с высоким воротом, отделанным кружевом. Ей шло необыкновенно... придавало особенную беззащитность ее хрупкой красоте.

Когда наряды полностью устраивали ее, Элла с удовольствием описывала их в письме к дорогой бабушке Виктории, например, вот так:

«Уже начали писать мой портрет, и мне кажется, что он будет очень удачный. Наверное, Вам будет интересно знать, в чем я буду одета на картине:

бледно-розовое, вернее, очень бледно-розовое газовое платье, отделанное кружевом, но открытое совсем чуть-чуть, так, чтобы была едва видна шея. Рукава не очень длинные; в одной руке я держу открытый зонтик, а в другой — большую белую соломенную шляпу с цветами, перевязанную розовой лентой. Словно я гуляла в саду и только что вошла!»

Когда Элла узнала, что этот ужасный Вилли (мало того, что мужлан, так еще и самоуверенный мужлан, просто помешанный на самых грязных отношениях мужчины и женщины, не знающий толку в возвышенном, не чувствующий к нему никакой тяги!) больше не намерен просить ее руки и все свои авансы теперь делает Августе Виктории Аустенбургской, она почувствовала истинное облегчение. Отец был на нее обижен и старался не появляться при королевском дворе, Элла тоже отделывалась, как могла, от визитов туда: ездила лишь в тех случаях, когда совсем уж невежливо было отказаться от приглашения (она так часто сказывалась больной, что при дворе всерьез начали обсуждать ее скорую кончину!), и была истинно счастлива, что ей удалось избежать присутствия в театре, когда Вилли — а ведь он был тогда еще принцем! — вполне показал свою деспотическую натуру и жестокость.

Это была какая-то совершенно комическая история!

Еще одна из дома Романовых

...Вилли собирался присутствовать на премьере в Берлинской опере и сообщил, что желал бы видеть дам в туалетах декольте. Но распорядители почему-то не довели это до сведения ни дирекции театра, которая могла бы указать сие условие в афише, ни тех, кто уже заказал билеты. Оттого и вышло, что слишком многие дамы прибыли в закрытых платьях: стояли очень холодные дни, а здание оперы славилось своими сквозняками. Вилли был в ярости от такого небрежения к своему желанию и приказал, чтобы все дамы в закрытых платьях немедленно вернулись домой. Некоторые и впрямь срочно поехали переодеваться. Однако некоторые дамы не пожелали покидать театр и кинулись за помощью к капельдинерам, прося дать им ножницы. Кто-то из театральной прислуги догадался спросить за это деньги, так что за вечер многие капельдинеры весьма улучшили свое финансовое положение, столь высок оказался спрос на ножницы! Дамы — или сами, или с помощью мужей и кавалеров, или призвав своих горничных, до той минуты смирно сидевших в гардеробной, охраняя меха своих хозяек, — безжалостно вырезали в платьях декольте. История мигом попала в газеты, да не только в берлинские, но и в заграничные, ну а газетчики ведь склонны к преувеличениям! От Парижа до Лондона и Санкт-Петербурга разлетелась весть, что все коридоры Берлинской оперы были усеяны обрезками дамских туалетов.

Элла редко смеялась от души: она вообще не видела в жизни ничего веселого, одно только печальное, но тут она покатывалась со смеху и в очередной раз радовалась тому, что впредь избавлена от домогательств Вилли. Ее красота останется невинной и девственной!

Элла прекрасно понимала, насколько она очаровательна. Ее сестры все хороши собой, но она — она не просто хороша или красива, она прелестна! В ней странным образом смешались женственность — и что-то юношеское. Иногда она сама себе напоминала переодетого мальчика. Не зря же Себастьян и Виола из «Двенадцатой ночи» были ее любимыми персонажами. Конечно, ей и в голову никогда не пришло бы нарядиться в мужской костюм, это оскорбление для истинной женственности! Но дело было не только в этом... Никто и никогда не узнает, что ее ноги выглядят в мужских штанах колесом! Ну, конечно, не совсем уж колесом, но некая кривизна заметна. Элла, которая была буквально помешана на собственном совершенстве, не могла допустить, чтобы кто-то узнал о самых незначительных ее недостатках. Она мылась только сама (чтобы как следует тереть спину, для Эллы была изготовлена особая щетка на длинной изогнутой ручке), отчасти потому, что не желала, чтобы горничные видели ее ноги. Она не любила верховой езды и даже быстрой ходьбы — из-за того, что страшно боялась упасть, ушибить или даже сломать ногу... ведь тогда придется показать ее врачу!

Страсть к самолюбованию граничила у нее с нарциссизмом, но именно граничила, ведь Элла понимала, что недостатки у нее все же есть. И один из них — самый, с ее точки зрения, ужасный! — появился, когда умерла мать...

Эти дни Элла вспоминала с ужасом, да они и в самом деле были ужасны.

Ей тогда едва исполнилось четырнадцать.

Старшая сестра, Виктория, названная так в честь дорогой и любимой бабушки, королевы английской, внезапно занемогла. Ее знобило, побаливало горло... Но Виктория очень любила демонстрировать свою волю и силу характера. Вместо того, чтобы лечь в постель и попросить позвать к ней врача, она собрала вокруг себя малышей и стала читать им любимую ими книжку — «Alice's Adventures in Wonderland».

Но девочке становилось все хуже. Герцогиня Алиса велела позвать доктора, который с тревогой сообщил, что у Виктории, оказывается, дифтерит.

А вокруг нее сидели младшие!

Их тут же развели по комнатам и объявили строгий карантин... Увы, с трагическим опозданием.

Впрочем, для самой Виктории все сошло благополучно. Она через пять дней выздоровела. Но заболели и Аликс, и Мэй, и Ирена, и Эрни, и сам герцог Людвиг.

Одной Эллы не коснулась болезнь. На всякий случай ее отправили из Дармштадта к герцогу Мекленбург-Шверинскому, который некогда был женат на сестре Людвига, Анне, ныне покойной.

— Не отсылайте меня, я хочу помочь! — твердила Элла, однако, как только мать сказала ей, что болезнь может быть смертельной, уехала без дальнейших споров.

Герцогиня Алиса теперь могла не бояться хотя бы за Эллу, она ведь и так была вне себя от страха! Дети болели очень тяжело, и она металась из комнаты в комнату, пытаясь отогнать от них смерть, которая — она это чувствовала! — стояла так близко.

Потом этой костлявой старухе надоело стоять без дела, и она забрала свою первую жертву. Это была бедняжка Мари — самая младшая девочка, которую все звали на английский лад Мэй.

Когда бедную малышку, уснувшую навеки, накрыли белым покрывалом, Алиса утерла слезы и зашла проведать Эрни. Ему уже стало лучше, он был полон жажды деятельности и очень хотел передать что-нибудь маленькой сестричке, которую очень любил.

— Мамочка, ну отдайте ей вот этих солдатиков, они ей так нравятся! — твердил он, чуть не плача, потому что мать никак не соглашалась. — Почему вы не хотите порадовать нашу милую Мэй?

Тут Алиса не выдержала и сказала, что нашу милую Мэй уже ничто не может порадовать — ничто из земных суетных мелочей!

Эрни в ужасе приподнялся в постели и прильнул к матери, плача и целуя ее, пытаясь утешить в страшном горе. Они долго плакали вместе, решив никому больше не говорить о смерти Мэй, пока все дети не выздоровеют. На другой день после этой трогательной сцены Алиса не смогла

Еще одна из дома Романовых

подняться с постели и отправиться к детям и мужу. Они поправлялись, а она чувствовала себя все хуже и хуже. Ее бред был легок, она улыбалась и повторяла: «Мэй, милый папа...» Вскоре Алиса соединилась с отцом, умершим семнадцать лет назад, и с младшей дочерью, покинувшей земные пределы так недавно...

На другой день герцог Мекленбург-Шверинский, у которого жила Элла, призвал ее к себе и с глубокой печалью сообщил ей о смерти матери и сестры (об этом девочке пока ничего не говорили).

Элла выслушала, опустила голову и, не проронив ни слезинки, отправилась к себе в комнату собираться: она должна была как можно скорее вернуться домой, чтобы успеть на похороны матери.

Факельщики-мортусы сопровождали колесницу, запряженную шестеркой черных лошадей с траурными плюмажами. На колеснице стоял гроб, покрытый, согласно последней воле покойной герцогини, флагом Британии. Потом в усыпальнице установили надгробие: Алиса прижимает к себе мертвую Мэй.

Дети, едва оправившиеся от болезни, были оставлены дома. Алису провожали только великий герцог Людвиг — он с трудом держался на ногах — и Элла. Отец не мог сдержать слез, дочь же по-прежнему не уронила ни одной.

— Как ты можешь быть такой бесчувственной, неужели тебе не больно? — спросил рыдающий Эрни, когда Элла зашла его проведать.

Элла молча ушла в свою комнату, зажгла свечу и поднесла к ней ладонь. Она и в самом деле ничего не чувствовала, и за это ей было стыдно. И потому девочка хотела наказать себя (а заодно и проверить!), но, лишь только пламя лизнуло кожу, со стоном отдернула руку. Наконец-то она смогла заплакать, но это были слезы боли физической, а не душевной. Впрочем, и душевная тоже присутствовала: Элле было стыдно за себя. Она считает себя совершенством, а не может как следует оплакать свое сиротство...

Той ночью приснился Элле страшный сон. Снилось, будто мать и сестра Мэй явились и молча глядят ей в глаза, держа над нею по свечке — из числа тех, которые были зажжены по краям их гробов. Мать держит свою прямо, а свечка Мэй дрожит в маленькой ручке, и раскаленный воск иногда капает на грудь и живот Эллы. Это ужасно больно, но Элла боится даже застонать. Она насчитала семь раскаленных капель, упавших на ее тело и, чудилось, достигших самого сердца, когда мать и сестра вдруг переглянулись, кивнули друг другу согласно — и, не взглянув больше на Эллу, ушли.

Она проснулась... Сон рассеялся, призраки исчезли, но не исчезла боль. Кожу под ночной сорочкой так жгло, что невозможно было ее коснуться.

Элла не решилась встать с постели в темноте — очень уж страшно было, а вдруг призраки вернутся?! — и терпела, пока не рассвело. Наконец она дошла до туалетного столика, задрала рубашку, посмотрела в зеркало. И вскрикнула от ужаса: на коже появилось семь красных уродливых пятен!

Элла торопливо одернула рубашку, кинулась к двери, чтобы позвать на помощь — пусть ей принесут масло или что угодно для облегчения боли, — но замерла.

Показать эти пятна значило предстать раздетой перед кучей народу! Врачи, сестры, отец, служанки... наверное, и священники захотят это увидеть. Ведь это не просто ожоги — это что-то вроде стигматов... Хотя нет, не совсем: стигматы, кровоточащие раны, открывались на телах религиозных подвижников в тех местах, где должны были находиться раны распятого Христа, а у нее просто пятна на ребрах, напоминающие ожоги, отвратительные пятна... Нет, Элла их никому не покажет! Кривые ноги, да еще эти пятна... О нет, нет! Конечно, больно, но ведь боль когда-нибудь, со временем, пройдет — и следы ожогов заживут!

Элла почти угадала. Со временем боль прошла, да, однако, следы ожогов не исчезли. Годы шли, а странные следы даже не уменьшились, но выглядели теперь как самые обыкновенные родимые пятна. То, что они не исчезли, еще больше укрепило Эллу в ее решении никогда не показываться никому раздетой...

Но чем больше проходило времени, тем отчетливей она понимала, насколько это будет трудно. Ну ладно, ей удалось отделаться от Вилли, но бабушка теперь прочит ей в мужья Фридриха Баденского, внука кайзера Вильгельма Первого, кузена Вилли. Если Элла избавится и от этого жениха, ей будут искать новых и новых. Единственное спасение — уйти в монастырь, но этот выход ее пугал. Жизнь так прекрасна... в монастыре нельзя наслаждаться собственной красотой и совершенством, можно будет только гордиться уродливыми пятнами как первой ступенью на пути к святости... Но Элла была еще не готова идти этим путем без оглядки!

Значит, все дело только в том, чтобы правильно выйти замуж. Ей приходилось слышать о несчастных женщинах, которые были вроде и при мужьях, но все же мужья не уделяли им внимания. Например, король Карл Вюртембергский, за которого вышла русская принцесса Ольга Николаевна... Поскольку Вилли был его племянником (сыном сестры короля Карла), при прусском дворе довольно часто обсуждались наклонности дядюшки. Говорили, что подобные пристрастия были в большой моде у римских императоров, а потому простительны, но Вилли их презирал. Элла скорей отрезала бы себе язык, чем взялась бы обсуждать с кем-нибудь эту скользкую тему, однако уши она себе отрезать не собиралась, а потому кое-что слышала — и знала: детей у короля и королевы Вюртембергских не было потому, что его величество Карл ни разу не взошел на ложе своей супруги. Да, он ей изменял, однако ночи он проводил с молодыми красавцами, а не с красавицами!

Еще одна из дома Романовых

Но если король не восходил к своей королеве на ложе, значит, не видел ее обнаженной?.. Значит, так! Вот какой муж нужен Элле! Schwule, так называют их, этих любителей мужчин, Schwule или Urning...

Элла в ужасе покачала головой: откуда она могла узнать эти слова? Как они только залетели в ее уши?!

Ну что ж, очень неплохо, что залетели. Зато она знает, каким путем ей идти. Надо просто ждать... и собирать слухи о возможных женихах.

Однако она не просто ждала. Теперь она прислушивалась к разговорам, внешне оставаясь невинно-равнодушной, и жадно ловила эти два слова: Schwule и Urning. Они порой звучали, однако очень редко, а если и звучали, касались либо женатых людей, либо простолюдинов, либо холостых и именитых, но настолько отталкивающих, что Эллу заранее тошнило при одной только мысли о союзе с таким человеком. Но вот однажды...

Дети великого герцога Людвига были в гостях у королевы Виктории: после смерти Алисы она приглашала их в Англию — погостить — каждый год. И Элла случайно услышала разговор брата Эрни с их общим кузеном Альбертом Виктором, герцогом Кларенсом, сыном наследного принца Эдуарда.

— Ты слышал, что завтра приезжают русские? — спросил Альберт Виктор. — Наш кузен Сергей и...

— Наш кузен Schwule? — понизив голос, перебил Эрни. — Клянусь, в его присутствии я боюсь повернуться к нему спиной!

И они оба расхохотались.

Элла насторожилась.

Кузен Сергей?! Они говорят о принце Сергее, сыне русского императора?

Элла вспомнила его высокую, очень стройную фигуру, тонкие, словно точеные черты лица, необыкновенно красивые голубые глаза, светлые, очень коротко стриженные волосы, неправдоподобную грацию всех его движений, резкий, надменно звучащий голос...

И сердце радостно забилось: если он сделает предложение, она ему не откажет!

Предчувствие не обмануло Эллу. Сергей сделал ей предложение. Ему пришло время жениться — отец решительно настаивал на этом, хотя отлично знал, какая слава тянется за сыном. Молодой великий князь подчинился — и даже не без удовольствия. Элла была самой красивой и утонченной женщиной из всех, кого великий князь Сергей когда-то видел, а он был поклонником всего утонченного и прекрасного... А главное, она напоминала переодетого мальчика. Прелестного белокурого мальчика!

Вообще-то Сергей Александрович предпочитал темноволосых и темноглазых мальчиков, но разнообразие он тоже любил.

Еще одна из дома Романовых

* * *

Павел медленно брел по Невскому проспекту. За спиной оставалась Фонтанка.

Он оглянулся. Сергиевский дворец, неправдоподобно красивый, слабо мерцал темными окнами в лунном свете. К свадьбе великого князя Сергея Александровича его собирались перекрасить в коричнево-охряной цвет, однако, по счастью, не успели — только подновили прежнюю желтовато-жемчужную окраску, благодаря которой этот дом сейчас, в лунном свете, выглядел совершенно призрачно. И хозяева этого чудесного палаццо представились Павлу сейчас такими же призраками... Редкостно, просто изумительно красивые люди, муж и жена, которые были дороги ему так, что сердце разрывалось, которых он любил, как не любил никого на свете... От этой любви он чувствовал себя сейчас настолько отвратительно, что ему не хотелось жить.

Зачем, зачем он поехал тогда с Сергеем в Дармштадт? Хотя все равно... Все равно он рано или поздно увидел бы ее, и этой любви, как смертельной заразы, ему было не миновать!

Павел прижал руки к сердцу и шел некоторое время так, чуть согнувшись, чтобы поменьше щемило сердце, пока не спохватился, что зрелище взрослого мужчины, который идет, сгорбившись и чуть ли не стеная, потому что умирает от любви, может показаться смешным любому стороннему наблюдателю, который не знает, в чем дело.

Да если и знает! Не к лицу!

Он выпрямился, развернул плечи, приосанился, огляделся — и, усмехнувшись, снова горестно ссутулился: наблюдать за ним было решительно некому. Глухая ночь. Улицы пусты. Он выбрался из дворца украдкой, как вор, умудрившись не потревожить ни дежурного адъютанта, на лакеев, ни охрану, вышел боковой дверью, потому что хотел остаться один. Он не мог больше там оставаться, не мог метаться по своей спальне, еле удерживая себя от того, чтобы не броситься, наплевав на все приличия и запреты, в другую спальню в бельэтаже... А зачем? Чтобы получить — нет, не по физиономии, до этого она не унизилась бы! — она отхлестала бы его без слов и без жестов, одним своим недоумением, одним своим презрительным недоумением.

И даже если ему иногда кажется, будто... Наверное, это не более чем естественное женское кокетство, хотя она и это слово — понятия несочетаемые: не скажешь ведь, к примеру, что мраморные красавицы в Лувре кокетничают, хотя они и прекрасны и обворожительны.

Павел вздохнул. Еще в самом начале Сергей предупреждал брата... просил быть менее дружественным с его невестой, а еще лучше — поскорей найти себе свою, чтобы не заглядываться на чужих.

И это советует Сергей!

Еще одна из дома Романовых

Все это было бы смешно, когда бы не было так грустно!

Да так ли он, Павел, виноват? В нее все влюбляются. Кузен Саша, Александр Михайлович, просто растаял от восторга перед ней — и от ревности к Сергею — и не стеснялся твердить во всеуслышание:

— С того момента, как она прибыла в Санкт-Петербург из родного Гессен-Дармштадта, все влюбились в «тетю Эллу». Проведя вечер в ее обществе и вспоминая ее глаза, цвет лица, смех, способность создавать вокруг себя уют, мы приходили в отчаяние при мысли о ее близкой помолвке. Я отдал бы десять лет жизни, чтобы она не пошла к венцу об руку с высокомерным Сергеем!

И даже кузен Костя, Константин Константинович, пиит романтический, воскликнул:

— Она так женственна; я не налюбуюсь ее красотой. Глаза удивительно красиво очерчены и глядят так спокойно и мягко! — а потом не замедлил изваять стих, в котором воспел несказанную красоту новой великой княгини Елизаветы Федоровны — красоту Эллы:

Я на тебя гляжу, любуюсь ежечасно:
Ты так невыразимо хороша!
О, верно, под такой наружностью прекрасной
Такая же прекрасная душа!
Какой-то кротости и грусти сокровенной
В твоих глазах таится глубина;
Как ангел, ты тиха, чиста и совершенна;

Как женщина, стыдлива и нежна.
Пусть на земле ничто средь зол и скорби многой
Твою не запятнает чистоту,
И всякий, увидав тебя, прославит Бога, Создавшего
такую красоту!

А мальчишка Ники влюбился в ее сестру, двенадцатилетнюю Аликс, и, поскольку был болтлив, всем скоро стала известна запись в его дневнике:

«Встретили красавицу невесту дяди Сережи, ее сестру и брата. Все семейство обедало в половине восьмого. Я сидел рядом с маленькой двенадцатилетней Аликс, и она мне страшно понравилась».

«Впрочем, кто принимает Ники всерьез?» — подумал Павел, продолжая предаваться воспоминаниям.

Ах, как хорошо было в Ильинском, в этом чудесном подмосковном имении Сергея, где молодожены проводили медовый месяц, а к ним иногда наезжали гости, в том числе и Павел! Там совершенно особенный воздух — настолько чистый, что кажется, даже душу овевает этой чистотой, никакого греха в нее не проникает. Как легко было в Ильинском изображать из себя пажа прекрасной Эллы, как легко было радоваться ее счастью с Сергеем... а ведь она и в самом деле была счастлива! И все было светло.

Вспомнить хотя бы тот праздник Воздвижения Креста Господня. Сергей устроил его нарочно для крестьян. Их собралась большая толпа — и зажиточных, и бедных, со множеством детей. Сперва мальчики бегали и прыгали в мешках, а тем, кто прибежит первыми, Элла дарила разные красивые вещицы: пояса, кошельки, зеркальца на цепочках, платки... Потом состоялась лотерея. Зажиточные крестьяне из соседних деревень подходили поочередно и вытаскивали билеты, на каждый из которых можно было что-нибудь выиграть. Проигрышей не было, и Элла едва успевала раздавать то, что оказывалось обозначенным на билетах. Судя по радостным лицам крестьян, подарками барин угодил: байковые одеяла, ситцевые отрезы, самовары, кожа на сапоги, фарфоровые чайные сервизы — довольно простые, но нарядные... Дети получили от Эллы конфеты, пряники, орехи и игрушки: дудочки, волчки, деревянные мельнички...

А какое было необыкновенное зрелище, когда американец Лорукс в тот день поднялся в воздух над Москвой — на воздушном шаре, а потом прыгнул из гондолы на парашюте! Когда парашют раскрылся не сразу, все в ужасе закричали. Вот купол раскрылся наконец-то, Лорукс минуту провисел в воздухе, а потом его сильным ветром отнесло к лесу. Он упал на дерево, но остался жив и почти невредим, только оцарапал лицо.

Все темное началось после возвращения в Петербург, когда Сергей открыл брату, какой клятвой обменялись они с молодой женой еще перед тем, как обвенчались!..

Павел поднял голову, огляделся.

Где это он? Петербург, если глядеть на него не из окна кареты и не с высоты гусарского седла, кажется порой неузнаваемым, да еще ночь и лунный свет меняют очертания домов и искажают рисунок улиц.

У кого бы спросить, где это он, куда забрел? Вот смеху подобно... Великий князь заблудился на городских улицах, как деревенский мальчишка, впервые оказавшийся в столице! Конечно, Павлу нечасто приходилось разгуливать по улицам, всегда только в сопровождении свиты... Дай бог памяти, не впервые ли он идет один — ночью, пешком? А ведь и впрямь впервые! Кругом безлюдно, даже ни одного будочника не видно у мостов... Тяжкий предрассветный час, один из тех, в которые спится крепче, чем в прочие, и пережить которые, если не спится, тяжелее, чем прочие!

Ага, вот... Чья-то тень мелькнула впереди, в свете уже догорающих фонарей. Окликнуть, спросить, где он находится?

Да это женщина!

На миг Павлом овладело неразборчивое вожделение, страстное желание забыться — как угодно, только бы забыться! — но это был один лишь миг. Можно вообразить, что это за дамочка! Без шляпки, простоволосая... Ночная бабочка самого низкого разбора. Нет, лучше не паскудиться. Никакое мимолетное приключение, в этот миг понял Павел, не утолит его жажды, да и кощунственно это — попытаться от той утонченной отравы, которой, сама того не желая, опоила его Элла, излечиться с помощью какого-то низкопробного дешевого вина.

Дешевого вина?.. Брат Саша как-то рассказал ему, кто была его первая женщина. Крестьянка, коровница — Марфуша, Мариша, бог весть, как там ее звали! — с которой он спознался в коровнике нарочно для этого выстроенной возле Царского Села фермы. Старший брат его Никса, Николай Александрович, — он стал бы императором, кабы не умер молодым, — от прелестей соблазнительницы отказался, а Саша не единожды ее потом отведывал. И говорил, что сласть была несказанная, даром что простолюдинка![1]

Впрочем, Саша, пусть он и император, опытом большим не обладает, снисходительно подумал Павел. У него в жизни и были-то всего лишь две женщины, коровница эта да жена. Да еще был Саша платонически влюблен во фрейлину Мещерскую, но после свадьбы он хранит непоколебимую верность милашке Минни, а вот и Павел, и Сергей (да и прочие великие князья!) — они не стыдятся своего сладострастия, унаследованного от отца, только Павел охоч до женщин, а Сергей (точно так же, как и кузен Костя) — до мужчин. До мальчишек, вернее сказать! Однако это не помешало Косте жениться на принцессе Элизабет Августе Марии Агнесе, второй дочери принца Саксен-Альтенбургского, герцога Саксонского Морица, которую в России

---

[1] О любовных приключениях императора Александра III можно прочитать в романе Елены Арсеньевой «Любовь и долг Александра III», издательство «Эксмо».

зовут Елизаветой Маврикиевной... И она уже беременна, а Костя гордо клянется, что заведет большую семью, что у него будет много детей! Кузен, как говорится, мажет хлеб маслом с обеих сторон: лазит и под юбки женщинам, и в штаны мужчинам. Сергей же... О Господи! Оказывается, они с Эллой накануне венчания дали друг другу обет вечной девственности, договорились жить, как живут брат с сестрой! Однако, едва успев вернуться в Россию, Сергей вступил в связь с новым своим чернобровым и черноглазым адъютантом Степановым (на сей раз удивительно стройным и худощавым, в отличие от всех его прежних пухленьких и толстозадых, efféminés [1] угодников, например, красавца Коти Балясного).

А Элла? Как проводит она ночи в своей одинокой, холодной постели, зная, что муж не навестит ее не потому, что свято блюдет обет, а потому, что дает выход сладострастию с другими... с мужчинами?

Ближе друга, чем Сергей, у Павла не было на свете. Но старший брат никогда, никогда не посвящал младшего в тайны своего сладострастия и не живописал свои похождения, в отличие от Павла, который иногда любил поведать о своих альковных секретах. Любовь младшего брата к женщинам казалась Сергею отвратительной и нечистоплотной, однако он умел уважать чужие пристрастия. Павел уважал чужие пристрастия ответно, однако

[1] Женоподобных (франц.).

сам даже вообразить не мог себя в объятиях мужчины — с души воротило. Если Сергей был скрытен, то кузен Костя — весьма болтлив, особенно под шампанское. Нет, он не хвастался радостями однополой любви — он стенал над ними. Павел слушал его самобичующие откровения со смешанным чувством отвращения и жалости:

— Жизнь моя течет счастливо, я поистине баловень судьбы, меня любят, уважают и ценят, мне во всем везет и все удается, но... нет главного: душевного мира! Ах, как это тяжело, что мой тайный порок совершенно овладел мною! Я пытаюсь его победить... но совершенно сладить с ним редко удается. Я точно флюгер: бывает, принимаю твердое намерение, усердно молюсь, простаиваю целую обедню в жаркой молитве — но тотчас же затем, при появлении грешной мысли, все сразу забывается, и я опять подпадаю под власть греха. Больше всего я боюсь видеть банщиков... Сам не знаю, почему у меня к ним такая особенная тяга! Ты знаешь, Поль, бывало, я нарочно в самом простом виде хаживал в Усачевские бани... Находил там банщика себе по вкусу и деньгами вводил его в грех. И стыдно мне, мучительно стыдно, а удержаться не могу!

— В банях, — передернувшись, сказал тогда Павел, изо всех сил пытаясь свести эту пугающую, горькую исповедь к шутке. — В наших общественных банях! Бр-р... Воображаю! Были бы хоть, я так скажу, к примеру, римские термы...

— Ну так ведь я снимал отдельные кабинеты, — не без обиды возразил Константин, — не в общей же мыльне грешил!

Однако Павел вновь передернул плечами:

— В бане! Да воля твоя, это ж ничем не лучше, чем в юнкерской уборной, воспетой, как некоторые поговаривали, самим Лермонтовым!

И, на ходу редактируя знаменитую классическую похабщину приличными междометиями, прочел с таким выражением, словно у него сделалась неодолимая оскомина:

> ...Вдруг шорох, слабый звук — и легкие две тени
> Скользят по каморе к твоей желанной сени,
> Вошли... и в тишине раздался поцалуй,
> Краснея поднялся, как тигр голодный, *трам-пам-пам.*
> Хватают за него нескромною рукою,
> Прижав уста к устам, и слышно: «Будь со мною,
> Я твой, о милый друг, прижмись ко мне сильней,
> Я таю, я горю...» И пламенных речей
> Не перечтешь. Но вот, подняв подол рубашки,
> Один из них открыл атласный *трам-пам-пам* и ляжки,
> И восхищенный *трам-пам-пам*, как страстный сибарит,
> Над пухлой *трам-пам-пам* надулся и дрожит.
> Уж сблизились они... еще лишь миг единый...
> Но занавес пора задернуть над картиной,
> Пора, чтоб похвалу неумолимый рок
> Не обратил бы мне в язвительный упрек.

Константин прерывисто вздохнул, а Павел, почуяв в сем вздохе мечтательную тоску кузена по несбыточному счастью, продолжал с тем же выражением оскомины:

— Помнишь, я нашел у Сергея эти стишки в тетрадке и принес тебе показать, да еще спрашивал, о чем это? Вот глупец был наивный, ничего не знал, ничего не понимал!

— Век бы тебе, Поль, этого не знать и не понимать, — со слезами в голосе проговорил Константин.

Но Павел все же понял довольно — а прежде всего понял невозможность человеку себя переделать. Оттого он был доселе снисходителен к грехам любимого брата Сергея — пока не осознал, что эти грехи превращают в ад жизнь любимой им женщины.

Узнав, что Сергей проводит ночи то с новым адъютантом, то с прежним, а Элла остается одна, он впервые упрекнул Сергея. Однако тот лишь поднял брови:

— Я дал волю своей жене, и она это прекрасно знает. Она может выбрать себе любого достойного мужчину — поверь, я смогу простить ее и понять. Это не изменит нашей с ней нежной любви друг к другу! Одно только я не смог бы простить: если бы она нашла утешение в объятиях моего... — Он вприщур глянул в глаза Павла и закончил, видимо, иначе, чем собирался: — В объятиях кого-то из наших родственников. И она это понимает — понимает, что с ней я немедля разведусь, а с тем человеком отношения прерву и вообще сделаю все, чтобы самым гнусным образом отравить его существование. Надеюсь, ты не наивен, а столь же умен, как моя дражайшая супруга, а потому не считаешь меня образцом благородства и умения подставлять другую щеку?

Павел не был наивен (хоть, может, умом особенным и не блистал) и хорошо знал брата. Любил его — а все же понимал, сколь низменна и в то же время возвышенна его натура.

Ему приходилось еще в юности читать о каком-то средневековом яде, который наливали в вино тем, кого желали уничтожить, не оставив подозрений. Яд — кажется, он назывался lutulentis mors, мутная смерть, да-да, именно lutulentis mors! — был очень тяжел, сразу ни в вине, ни в воде не растворялся, а сначала ложился на дно густым осадком, так, что напиток оставался чистым и даже прозрачным. Отравитель мог без малейшей опаски и без вреда для здоровья сделать глоток из кубка, а потом — с самой дружеской улыбкой! — передать его своей жертве... только надо было не забыть качнуть кубок, чтобы взболтать осадок, — вот и все, обреченный вскоре умирал мучительной смертью. Вот так же на дне светлой и прозрачной, гордой и страстной, возвышенной и милосердной души Сергея тяжко лежал некий опасный осадок, и горе тому, из-за кого эта ядовитая, губительная тьма начинала колыхаться!

А впрочем, со вздохом подумал Павел, наверное, каждый человек таков, не один только Сергей, и в каждом таятся мутные, инфернальные бездны, которые порою могут всколыхнуться — и толкнуть его на преступление, на нарушение закона... особенно если вырос и живешь с убеждением, что для тебя закон не писан!

Их дорогой отец, недавно разорванный на куски бомбой террористов, еще при жизни бедной жены своей поселил рядом с ее покоями молодую любовницу с детьми, поправ волею мужчины и властью императора все религиозные и человеческие узаконения и нормы. По сути, этим он ускорил смерть императрицы. Конечно, нет закона, нет такой его статьи, в которых черным по белому было бы написано, что прелюбодей является преступником и должен быть наказан не просто какими-то непредставимыми адскими мучениями или угрызениями совести, а каторжными работами, ссылкой или тюремным заключением. Не оттого ли на свете так много прелюбодеев, что мера мирского наказания для них не определена толком? А впрочем... Павел с горькой усмешкой пожал плечами... в законе Российской империи есть особая статья — номер 995, в которой черным по белому значится:

«Изобличенный в противоестественном пороке мужеложства подвергается за сие лишению всех прав состояния и ссылке в Сибирь на поселение. Сверх того, если он христианин, то предается церковному покаянию по распоряжению своего духовного начальства».

Ей сопутствует и статья 996, которая гласит:

«Если означенное в предшедшей 995 статье преступление было сопровождено насилием или же совершено над малолетним или слабоумным, то виновный в оном предается лишению всех прав состояния и ссылке в каторжную работу в крепостях на время от десяти до двенадцати лет».

Однако написать — это одно, а воплотить написанное в жизнь — другое. Насколько было известно Павлу, в подобных случаях сложно даже состав преступления определить! Ему приходилось быть в одном собрании, где Николай Адрианович Неклюдов, заслуженный ординарный профессор криминалистики и обер-прокурор Уголовного кассационного департамента Правительствующего сената, рассуждал об этих трудностях, говоря не без сокрушения:

— Закон наш не дает определения мужеложства, в общепринятом смысле под ним понимается: употребление мужчиною лица же мужского пола в задний проход. Деяние должно заключаться в употреблении и при том безусловно в задний проход; посему никакие остальные половые бесстыдства под действие 995 статьи подводиться не могут! В мужеложстве добровольном покушение совпадает с совершением; от совершения же требуется только начало эротического акта! Употребленное в 995 статье слово «порок» равносильно слову преступление или, правильнее, безнравственность, а отнюдь не означает привычку или же наклонность!

Эх, чисто писано в бумаге, да забыли про овраги, как по ним ходить... Так говаривал Лев Николаевич Толстой еще в бытность свою севастопольским героем, и слова эти потом стали солдатской песней, которая считается народною...

Еще одна из дома Романовых

Коли написан закон, всегда найдется и овраг, которым сей закон можно обойти!

Позорному пороку предавались многие известные люди Петербурга. Да и гвардейцы... Однако этим страдали не все полки гвардии. Преображенцы любострастничали между собой чуть ли не поголовно, а лейб-гусары отличались естественными привязанностями. Имена главных «бугров» — их так называли от французского слова «bougre», содомит, — были у всех на устах, да ведь многие совершенно не скрывали свой образ жизни, а даже кичились им. Скандалы, сопровождающие открытие за кем-нибудь непотребных похождений, тянулись непрерывно, но до суда сии дела обычно не доходили.

Да вот буквально недавно грянул скандал с князем Владимиром Петровичем Мещерским, носившим до седых волос среди своих имя Вово. Он был в свое время камергером при дворе Александра II, потом сделался приятелем наследника престола Николая Александровича, затем — Александра. С наследниками у него была чистая и спокойная мужская дружба — император не потерпел бы никакой похабщины вокруг будущих государей, да и те не были склонны к постыдным забавам! Мещерский окончил курс в училище правоведения, после был полицейским стряпчим и уездным судьей в Санкт-Петербурге, состоял чиновником особых поручений при министре внутренних дел, и эти особые поручения иногда состояли в том, чтобы развлекать беседами великих князей. Он был чрезвычайно привлекателен, представителен и слыл необычайно хорошим рассказчиком — особенно Мещерскому удавались презабавные истории из его сыскного прошлого. Считалось, что из него может выйти блестящий журналист. Так и произошло. Теперь Мещерский славился как писатель и публицист крайне правых взглядов, которые высказывал в издаваемом и редактируемом им журнале «Гражданин». Скандал грянул оттого, что Вово начал оказывать непомерное внимание молодому трубачу лейб-стрелкового батальона. Начальник Пажеского корпуса Келлер обвинил его в мужеложстве, разразилась буря, имевшая серьезные последствия. Однако Мещерский отчаянно защищался, и император принял его сторону. Скандал был замят без всяких последствий для виновника, и более того — именно в этот момент он сделался доверенным советником императора. Потом Мещерский оказался замешанным в историю с актерами Александринского театра, ходили слухи даже о высылке из Петербурга, но все снова обошлось для Вово благополучно: Павел знал — брат Саша обязан был Вово тем, что тот вовремя остерег его от непомерного увлечения княжной-авантюристкой Марией Элимовной Мещерской, а ведь это его увлечение едва не разрушило его брак с принцессой Дагмар, Минни. Кроме того, императору импонировала активная позиция Мещерского, который открыто призывал правительство поставить крест на всех реформах покойного Александра II.

Да, всем было известно и Павел понимал, что статья 995 и 996 легко обходимы, тем более если ты — приятель императора, а еще более легко — если ты великий князь и брат государя. Но все же — бедная Элла...

Что она делает в своей одинокой постели? Может быть, проклинает тот день, когда согласилась связать свою судьбу с Сергеем? И горько плачет?

Павел вскинул голову. Послышалось или до него донесся звук рыданий?

Наверное, чудится, кому бы тут плакать, посреди ночного города? Подумал о плачущей Элле — вот и померещилось.

Хотя нет... Не померещилось! Звуки рыданий все громче, а вот и видно, кто плачет: ночная бабочка, которую Павел приметил несколько минут назад.

Ну надо же, так-то рыдать — словно над мертвым. Кого это она оплакивает? И что она делает?! Подошла к перилам моста (да ведь это Красный мост через Мойку, Павел вдруг сообразил, что находится на Гороховой... ничего себе, куда забрел!), свесилась вниз... уж не кинуться ли собралась?!

Он больше ни о чем не думал — просто рванулся вперед, побуждаемый вполне естественным человеческим стремлением спасти другого человека от смерти.

* * *

— Уверяю вас, моя дорогая, что запереть себя в детской — это не ваша стезя! Так и передайте своему супругу — мол, пусть лучше запрет на крепкий замок свои мужские инстинкты!

Общее замешательство, тишина, мгновенное остолбенение — а потом смех, слишком громкий для того, чтобы быть искренним.

Великий князь Владимир Александрович едва заметно повел бровью. Михень в своем, как говорится, репертуаре... никогда не думает, прежде чем сказать. И при этом он не знал женщины умнее. Кажется, даже глупости и бестактности она совершает с умыслом. Великая княгиня Мария Павловна терпеть не может адъютанта мужа Эрика Пистолькорса, поэтому эта обмолвка, которая кажется чудовищной посвященным и совершенно невинной — тем, кто не в курсе дела, призвана еще больше унизить беднягу. Конечно, очень вероятно, это только слухи... ну, что бедняга Пистолькорс больше не... что, увы, он больше *не может*! — а если правда?! Каково ему сейчас, несчастному?! И каково его жене? Судя по ее лицу, по манерам, по всему томному очарованию, которое от нее исходит, эта дама не из тех, кто посвящает себя исключительно семейным обязанностям. От нее надо держаться подальше тем мужчинам, которые заботятся о своей репутации и побаиваются своих жен.

Не то чтобы великий князь Владимир Александрович очень пекся о том и другом, но все же... на глазах Михень флиртовать с мадам Пистолькорс не стоит. Хотя, с другой стороны, дорогая супруга сейчас преисполнена желания оказать прехорошенькой и весьма несчастной в браке Ольге Валерьяновне всяческое покровительство. Она обожает таких вот бедняжек, без различия пола. На своем супружеском веку Владимир Александрович на всякое нагляделся, а потому заранее мог предсказать, как станут развиваться события. Сначала она будет всячески обхаживать очередную протеже, восстанавливая его или ее против всех близких и настойчиво уверяя, что оного или оную протеже никто, ни одна душа в мире понять не способна — кроме, конечно, самой Марии Павловны. И постепенно, как ни странно, ей удается человека в том уверить. Потом следует период пылкой и страстной дружбы, когда Михень чуть ли не в супружескую постель третьим не лишним тащит своего или свою протеже. Вот в этот период для человека ловкого и хваткого — а великий князь себя таким заслуженно почитал — открываются самые заманчивые возможности, потому что Михень, пребывая в состоянии своей некоей человеколюбивой эйфории, ничего дальше своего носа не увидит, вернее, увидеть не захочет, и даже если она застанет оную (вот тут женский род sans variants, как говорят французы, без вариантов, мальчишек оставим брату Сергею!) протеже в объятиях законного супруга, то ничего противоестественного, никакого адюльтера в сем не углядит, а решит, что сердобольный Володенька утирает бедняжке слезки, а утешаемая бедняжка плачет ему в жилетку. Если же жилетки на нем при исполнении сих приятных обязанностей не окажется, а у протеже туалет будет в беспорядке, затуманенный взор Марии Павловны этого не заметит. Михень обратит внимание в данной ситуации на что-нибудь вполне приличное. И только потом наступит разочарование, но не прозрение — Михень так ничего и не заподозрит, ей просто надоест протеже, как ребенку надоедает игрушка, прежде любимая, а теперь совершенно не нужная, опостылевшая, осточертевшая, — и он бросает ее под кровать, требуя от родителей новой. И, что самое смешное, Владимиру Александровичу «игрушка» в этом случае тоже мигом надоедает. Так что не далеко от истины уходят те, кто уверяет, будто великий князь, младший брат государя императора, сенатор, член Государственного совета, генерал-адъютант, герой последней войны с турками, генерал от инфантерии, командующий войсками гвардии и Санкт-Петербургского военного округа, регент — на случай кончины императора — до совершеннолетия наследника престола Николая Александровича, известный меценат, президент Императорской академии художеств, один из попечителей Румянцевского музея — словом, будто носитель всех этих громких титулов и званий находится под каблуком супруги. И более того — глядит на мир ее глазами, даже когда речь идет о женщинах. Стоит Михень сказать: такая-то, мол, хорошенькая, — как и Владимир Александрович начинает сие замечать.

Хотя насчет мадам Пистолькорс он и сам был с усам. Прелестная женщина! Эти длинные темные глаза, эти вздрагивающие перед тем, как улыбнуться, губы, эти локоны, вечно выбивающиеся из самой строгой прически не заметить было бы трудно. А как она смотрит на мужчину! Как будто видит в нем то наилучшее, чего он сам о себе не знает. Правда, в первую минуту знакомства Владимиру Александровичу показалось, будто прелестная Ольга Валерьяновна вытаращилась на него как-то слишком уж изумленно, как будто приняла его за другого человека, а потом спохватилась. Но это, конечно, ему показалось: за кого еще она могла его принять, как не за него самого?!

Да, очаровательная женщина, бездна шарма... Правда, в самом начале их знакомства она заводила какие-то странные разговоры: например, вдруг начала выпытывать, а не охоч ли великий князь до ночных прогулок... и нравятся ли ему санкт-петербургские мосты, например, Красный мост... Ну что ж, Владимир Александрович был — в отличие от супруги! — весьма тактичен и не показал мадам Пистолькорс, что ее вопрос показался ему странным. Напротив, он обстоятельно рассказал историю строительства Красного моста — который, к слову, первоначально звался Белым, потому что был построен деревянным и покрашен в белый цвет.

— С самого начала мост был разводной, — обстоятельно говорил Владимир Александрович, — с узкой щелью посередине для пропуска мачтовых судов. Щель эта для проезда закрывалась съемными щитами, и лишь в начале века на этом месте построили один из однопролетных чугунных, арочных мостов, которых много перекинули через реки и каналы Санкт-Петербурга. На гранитных обелисках водрузили фонари, а перила повторяли рисунок ограждения набережной, чтобы создавалась единая картина.

Великий князь, поведавший мадам Пистолькорс все это, мог гордиться своей осведомленностью — ну он и гордился, и если мелькнула вдруг мысль, что Ольгу Валерьяновну его рассказ почему-то насмешил, то он мысль эту мигом прогнал.

С чего бы даме смеяться, в самом-то деле?!

* * *

...То лето они, как всегда, проводили в Ильинском, любимом подмосковном имении Сергея, которое и Элле тоже очень понравилось, однако так уж вышло, что больше по гостям ездили, чем дома сидели. Особенно часто наезжали в Ракитное. Княгиня Зинаида Юсупова, хозяйка, была великая выдумщица. Красивая, яркая брюнетка с огромными серыми глазами, она ни минуты не могла посидеть спокойно и обожала развлекать гостей то маскарадными шествиями, то домашними спектаклями. В княжеском доме в Ракитном всегда была бездна самых разных нарядов для гостей, поэтому особенно готовиться к этим импровизированным маскарадам не приходилось. Но иногда хозяйка объявляла особую тему бала, и приглашенные должны были соответствовать.

В тот раз был назначен ситцевый бал, Элла отлично это помнила. Она даже помнила, что успела накануне отправить записочку своей невестке Минни, императрице: «Дорогая моя Минни! Мы часто видимся с соседями. Они настолько милые люди, что я стала чувствовать себя с ними как дома. Мы часто ходим купаться — такое освежающее удовольствие, потому что погода жаркая, несмотря на страшные грозы с ливнями. В среду мы едем к Эльстон-Сумароковым (Юсуповым), и все дамы и кавалеры должны быть одеты в крестьянские костюмы — простые, но очень ярких цветов. Мы шьем себе платья...» Элла не без особенного удовольствия сообщила невестке об этом событии, потому что знала, как любит та новые наряды и как ревностно относится к платьям Эллы. Элла всегда сама выдумывала фасоны своих туалетов — следуя, разумеется, модной картинке, но больше доверяя своему вкусу. Часто она сама рисовала фасоны новых платьев в альбоме, однако Минни их не показывала: та считала себя отличной рисовальщицей и очень любила поправлять несовершенные рисунки Эллы. Элла уверяла и ее, и даже себя, что ничуть не обижается, однако потом, оставшись одна, украдкой бросала поправленные императрицей картинки в горящий камин. И втихомолку посмеивалась над тем, как ревностно соперничает Минни с королевой Викторией и ее дочерьми. И Минни, и англичанки заказывали наряды у Чарльза Ворта в Париже, однако знаменитый портной соблюдал тайну заказов особенно высокопоставленных клиенток, подобно тому, как щепетильный врач соблюдает врачебную тайну, так что Минни пришлось завести при британском дворе нескольких агенток (из числа придворных дам королевы), которые буквально по крупицам собирали для нее сведения о новых фасонах. Тогда Минни приказывала отправить Ворту телеграмму — чтобы заказать наряд такого же фасона.

Ну, на сей раз даже Минни обошлась бы без Ворта, потому что наряды для бала у Юсупова решено было изготовить самые простые. Впрочем, это оказалась палка о двух концах. Сначала эта самая простота всех гостей восторгала, потом начала надоедать, и вот тут-то выдумщица Зинаида Николаевна бросила козырную карту: в этих простых и удобных, но почти деревенских нарядах гости будут играть... Шекспира, или Ростана, или Гюго, или Лопе де Вега, еще кого-нибудь из изысканных классиков. Такие мгновенно устроенные постановки весьма были у хозяйки Ракитного в чести: она раздавала гостям тетрадки с заранее переписанными ролями, отчеркнутыми красными чернилами, так что оставалось лишь выразительно прочесть роль. Конечно, играли не всю пьесу, а лишь одну или несколько самых приятных сцен.

На сей раз Зинаида приготовила роли для сцены из «Ромео и Джульетты» (объяснение на балу), «Сирано де Бержерака» (объяснение Сирано и Роксаны под балконом), из «Эрнани» (финальная сцена), ну и из «Учителя танцев» (объяснение Альдемаро и Флореллы). Все пьесы решено было играть на французском языке, только Шекспира — на английском. Тянули жребий, кто в какой сцене участвует. Зинаиде Юсуповой и ее мужу Феликсу выпало играть Альдемаро и Флореллу. Молоденькой генеральше Бархударовой, которая сразу заявила, что она обожает Ростана, и приехавшему с ней двоюродному брату выпало изображать Сирано и Роксану. Сергею, Павлу и Элле втроем предназначалось играть в «Эрнани», хотя великий князь Сергей не преминул скорчить гримасу и заявить, что Гюго, этого творца мизераблей[1], самого считает мизераблем и даже литературным маргиналом. Впрочем, участвовать в спектакле он ничуть не отказывался и даже, ходя из угла в угол, нагонял на лицо мрачное выражение, ибо играть предпочел не пылкого мятежника Эрнани, а мсти-

---

[1] Самый знаменитый роман Гюго «Отверженные» по-французски называется «Les Misérables», буквальный перевод — отчаявшиеся, нищие, презренные. *(Прим. автора.)*

тельного дона Руя Гомеса де Сильву. Когда Павел насмешливо напомнил, что дон де Сильва появляется в финальной сцене в маске, поэтому нагонять морщины на лоб нет никакой надобности, Зинаида Николаевна за Сергея вступилась, напомнив, что де Сильва маску все же срывает, и тут никакая мрачность лишней не будет.

Великий князь Константин Константинович со своей Елизаветой Маврикиевной назначены были играть в «Ромео и Джульетте», это их необычайно позабавило, роли они учили с большим увлечением, однако тут прискакал нарочный с сообщением, что их старший мальчик, Иоанн, занемог, подозревают ветрянку, доктор в опасении, как бы зараза не перекинулась на Гавриила, который был еще совсем младенец... Конечно, встревоженные супруги мигом отбыли, наказав другим ни за что не расходиться и продолжать развлекаться.

Впрочем, несмотря на то, что оставшиеся сделали хорошую сочувственную мину, она была при плохой игре: расходиться никому и так не хотелось ни за что! Однако теперь играть Ромео и Джульетту оказалось некому. Прочие гости Юсуповых были людьми почтенными и лицедействовать наотрез отказались, хотя посмотреть представление очень хотели бы.

Элла видела очень простой выход: кто-то из актеров должен был сыграть в двух сценах, например, они с Павлом... или с Сергеем... могут не только в «Эрнани» представлять, но и в «Ромео и Джульетте», — однако предложить это она стеснялась — ожидала, когда такая же мысль придет в голову кому-нибудь другому.

И в самом деле — вдруг Сергей сказал:

— А вы знаете, господа, я ведь знаю, что делать! Мне выпала такая мрачная роль этого зловещего де Сильвы, что я желаю немного поразвлечься, изображая влюбленного. Я буду играть Ромео!

— Это замечательно, замечательно! — захлопала в ладоши Зинаида. — Элла, дорогая, вы сыграете Джульетту?

Однако Сергей не дал жене ответить:

— Ну нет, я думаю, роль доньи Соль отнимет у Эллы все силы. И потом, воля ваша, дважды за вечер играть обреченных на смерть — это слишком тяжелые переживания для женщины. А я все же солдат, я выдержу!

— Но с кем вы желаете сыграть сцену? — спросила Зинаида. — Выберите себе Джульетту и назовите ее нам!

— Позвольте, — с загадочным выражением произнес великий князь, — я это оставлю пока под секретом. И никому, кроме хозяйки и распорядительницы спектаклей, тайны сей не открою до последней минуты!

Тут он что-то прошептал Зинаиде Николаевне на ушко. И без того большие глаза княгини Юсуповой стали теперь преогромными, она конфузливо хихикнула, почему-то бросила на Эллу виноватый взгляд — и кивнула:

— Как изволите, Сергей Александрович...

Павел почему-то вдруг сделался угрюм, а Элле и в голову ничего дурного не пришло: она доверчиво решила, что Сергей избрал Джульеттой Зиночку Юсупову, да пока молчит, не признается, потому что ее муж, Феликс Феликсович-старший, граф Сумароков-Эльстон, принявший титул князя Юсупова по воле отца Зинаиды и поэтому слишком уж пекущийся о своем самолюбии, славился ревнивыми выходками. Потом, когда сцена начнется, он уже ничего сделать не сможет, а то ведь как бы совсем не запретил жене играть!

Все разошлись по углам — репетировать.

Павел был на редкость мрачен, в тетрадку глядел так, словно не видел ничего, и Элла стала опасаться, что сцену они провалят из-за его настроения. Впрочем, никакой радости ему и не надо было изображать... ведь в разгар свадьбы Эрнани и его возлюбленной доньи Соль они вдруг слышат звук рога, в который трубит человек, коему Эрнани дал слово умереть тотчас, как только услышит этот звук. И первая реплика Эрнани была в самом деле очень мрачна:

— О, как я счастлив был! Как стал несчастен вдруг!
Уж пишут на стене мне роковое слово,
И вновь судьба глядит в лицо мое сурово!

Тут явился Сергей, закутанный в черное домино и в маске, и замогильным голосом провозгласил, что Эрнани должен исполнить клятву.

Павел-Эрнани уже поднес было к губам фляжку, выданную Феликсом Феликсовичем в качестве реквизита и заменявшую флакон с ядом, но тут настало время выхода Эллы — доньи Соль — в мантилье из настоящих испанских кружев, которая сочеталась с ситцевым платьем в цветочек очень забавно. Элла ощущала себя какой-то барышней-крестьянкой. Да еще Сергей принимал такие преувеличенно грозные позы, что Элла с трудом удерживалась от хохота. Оставалось надеяться, что зрители подумают, будто голос ее, изрекающий мольбы, дрожит не от смеха, а от страха и горя.

Однако дон Сильва не поверил искренности доньи Соль, и тогда она поспешно отпила половину яда из флакона Эрнани. Ужаснувшись тому, что сделала любимая, он допил яд до конца. Потом они бросились друг к другу в объятия, медленно опускаясь на помост.

Элла знала, что о Павле идет слава как о прекрасном любительском актере, и находились даже люди, которые искренне говорили, что профессиональная драматическая сцена в его лице много потеряла — и сейчас Элла вполне могла убедиться в этом. Руки, сжимавшие ее в объятиях, были ледяными, трепещущие губы касались ее губ так нежно, что останавливалось сердце... И выражение его глаз было таким, что на миг Элле показалось, будто они парят над бездной, полной огня — огня страсти. Их обоих била дрожь, и реплики выходили прерывистыми, нервическими, они едва успевали смотреть в роли и беззастенчиво пропускали слова, если для того, чтобы вспомнить текст, нужно было разомкнуть объятия:

> — Мне лучше, милый мой! Сейчас мы без усилья,
> Чтоб вместе нам лететь, свои расправим крылья.
> Вдвоем мы ринемся к иной, большой стране.
> О, обними меня!

Тут подал голос злодей дон Сильва, и Элла едва узнала голос мужа — кажется, он тоже вполне вошел в роль:

> — Проклятие на мне!

Эрнани уже чувствовал приближение смерти и благодарил судьбу за любовь доньи Соль. А злобный дон Руй Гомес ворчал завистливо:

> — Как счастливы они!

Теперь настала последняя реплика Эллы, и она с невыразимым чувством смотрела на закрытые глаза Павла, обрамленные длинными черными ресницами. Ей хотелось воскликнуть: «Как он красив!» — но роль требовала других слов, и Элла покорно следовала роли:

> — Он мертв? О нет! Он крепким сном
> Заснул! О мой супруг! Как хорошо вдвоем!
> Мы оба здесь легли. То свадьбы нашей ложе.
> Зачем его будить, сеньор де Сильва? Боже,
> Он так устал сейчас...
> Взгляни, любовь моя!
> Вот так... в мои глаза...

Еще одна из дома Романовых

Вслед за этим донья Соль безжизненно распростерлась на помосте, не выпуская руки Эрнани из своей, ну а потрясенный силой их любви дон Руй Гомес, заколовший себя в порыве раскаяния кинжалом, свалился рядом.

Павел поднялся первым, помог встать Элле и брату. Все трое старались не смотреть друг на друга. Элла в эту минуту поняла три вещи: Павел любит ее, она любит Павла, а Сергей об этом прекрасно знает. Может быть, о любви брата к Элле он догадался еще там, в Лондоне, когда они все трое встретились впервые и Павел смотрел на его невесту такими чудными, изумленными глазами. Но Элла была слишком поглощена теми клятвами, которые они с Сергеем дали друг другу. А если бы она тогда внимательней взглянула на Павла...

Но даже в эту секунду, когда тело ее плавилось от впервые вспыхнувшего желания, она помнила: нет, она может быть только женой Сергея, потому что только его женой может она быть... Павел потребовал бы от нее невозможного!

Само собой, небольшой зрительный зал просто разрывался от аплодисментов. Все, кому еще только предстояло играть, смотрели на Эллу и Павла с завистью, а на Сергея — как на товарища по несчастью: ведь ему предстояло выйти на сцену еще раз!

Теперь настала очередь генеральши Бархударовой и ее кузена. Ему прикрепили уродливый нос — как известно, именно нос был главной приметой Сирано де Бержерака, — а маленькую роль красавчика Кристиана, язык которого заплетался при разговорах с женщинами, взял на себя адъютант Степанов.

По сути дела, он только начинал диалог, а потом его продолжали Роксана и Сирано. Элла, слушая их, подумала: неужели и их с Павлом игра представала всем зрителям никакой не игрой, а истинным объяснением в любви? Похоже, генералу Бархударову придется носить новый головной убор, если он вообще его уже не носит, если голова его уже не украшена рогами.

Элле было необычайно грустно во время этой сцены, и она очень обрадовалась, когда довольно-таки бездарные любовники наконец сошли со сцены, а их место заняли Зинаида и Феликс Юсуповы, которые с блеском сыграли влюбленного учителя танцев Альдемаро из Лерина и прекрасную Флореллу, да еще и станцевали напоследок настоящую павану (как раз ту, которой Альдемаро обучал Флореллу!), причем Зинаида — со своими темными волосами, горящими румянцем щеками и в той самой мантилье, в которой Элла несколько минут назад изображала донью Соль, — выглядела подлинной испанкой. Феликс Феликсович, который всегда казался Элле неуклюжим таким медведем, выглядел, танцуя, необычайно легким и грациозным, а таланту Зинаиды Николаевны можно было только позавидовать. Ей бы на сцене выступать! Элла очень любила танцевать на балах, Сергею смотреть на нее доставляло необычайное удоволь-ствие, он хоть сам не танцевал, но гордился, когда carnet de bal, бальная книжка жены, была запол-нена, и даже сам помогал ей вписывать имена ка-валеров. Но умения Эллы не шли дальше бальных танцев, а Зинаида оказалась настоящей актрисой.

Пока Элла всерьез подумывала о том, что-бы брать танцевальные уроки и совершенство-вать свои умения, Феликс Феликсович сообщил, то сейчас будет разыграна сцена из «Ромео и Джу-льетты».

Элла растерянно оглянулась, но Сергея рядом уже не было. Павел тоже отошел в сторону, на нее даже не смотрел.

Но вот появился Сергей в сопровождении все того же Степанова. Адъютант, видимо, был на все роли мастер и сейчас изображал лакея, с которым заговорил Ромео во время бала:

> — Скажи, кто та, чья прелесть украшает
> Танцующего с ней?

У Степанова в этой роли была всего одна ре-плика, которую, впрочем, он произнес весьма прочувствованно — должно быть, еще не вышел из роли влюбленного Кристиана:

> — Синьор, не знаю.

При этом смотрел он на Ромео с такой обидой, как будто тот задал не обычный вопрос, а страшно слугу оскорбил. Элле даже показалось, что у него слезы на глазах. Но потом заговорил Сергей — и у Эллы дрогнуло сердце, с такой нежностью он произнес:

> — Она затмила факелов лучи!
> Сияет красота ее в ночи,
> Как в ухе мавра жемчуг несравненный
> Редчайший дар, для мира слишком ценный!
> Как белый голубь в стае воронья —
> Среди подруг красавица моя.

И вот вихляющейся походкой вышла Джульетта... Это был адъютант Константин Балясный — чернокудрый, черноокий и томный, как одалиска.

Генеральша Бархударова расхохоталась от души. Кузен вторил ей. Остальные молчали.

Элла сидела, точно аршин проглотила, изо всех сил пытаясь натянуть на лицо улыбку.

А сцена, которая разыгрывалась перед ней, была не менее любовной, чем та, в которой они недавно участвовали с Павлом! В роли Ромео Сергей оказался куда более пылок и страстен, чем в роли зловещего де Сильвы, и голос его, и взгляд выражали истинную страсть, а сжимал он в объятиях хрупкого Балясного так, что у того едва не хрустели кости! Судя по выражению лица Балясного, тот уже задыхался от страсти! И вот наконец Ромео вопросил:

> — Даны ль уста святым и пилигримам?

Балясный промурлыкал:

> — Да, — для молитвы, добрый пилигрим.
> — Святая! Так позволь устам моим
> Прильнуть к твоим — не будь неумолима!

И после этой реплики Ромео надолго припал к губам Джульетты, заодно тискf ее зад.

Степанов, не сдержав громкого, ревнивого всхлипывания, выбежал вон.

* * *

Леля и в самом деле едва сдерживала смех, когда слушала Владимира Александровича. Нет, она смеялась не над великим князем — напротив, его обстоятельность показалась ей умилительной, трогательной и очень милой! — она смеялась над своим желанием воскресить прошлое. На самом деле Владимир Александрович был похож *на него* только ростом — ну и голосом, так что наставшая в первый миг оторопь тотчас и миновала. И потом, Владимир Александрович — великий князь, а тот был просто какой-то штатский мужчина, в объятиях которого Леля провела самую необыкновенную ночь на свете — и это при том, что они просто сидели на набережной, крепко обнявшись, и Леля плакала и плакала, говорила и говорила... Он не назвал ни имени своего, ни чина, она тоже не назвала себя. Когда начал брезжить рассвет, он немного проводил Лелю по Гороховой (довести себя до дому она не позволила), вежливо простился, повернулся и ушел. С тех пор прошло уже несколько лет, а она все не теряет надежды найти *его*, узнать... поблагодарить, ведь *он* спас ей жизнь, которую Леля считала конченой... А с минуты их встречи все в этой жизни переменилось самым волшебным образом! И прежде всего переменились их отношения с Эриком.

...Тогда она вернулась домой совершенно обессиленная, выплакавшая все слезы и принесшая все пени небесам. Он, спаситель ее, только молча слушал, изредка столь печально вздыхая, что можно было легко догадаться — у него тоже в жизни далеко не все гладко. Но даже если так, он взвалил на свои плечи еще и Лелин груз.

Подходя к дому, она была невероятно спокойна. А между тем ей следовало бы поволноваться. Если черный ход, которым она вышла, окажется заперт (а его всегда запирали на ночь, чтобы в дом не мог проникнуть никакой лихой человек!), придется звонить с парадного, будить швейцара... Господи, можно вообразить, что сделается с этим почтенным человеком, когда он увидит госпожу Пистолькорс из второго номера на улице ночью, растрепанной, в одном только капоте и ночных туфлях без задников, без чулок, без корсета... без мужа или любого приличного сопровождения! Как бы с перепугу не вызвал полицию, ведь не станешь ему объяснять, почему решила выйти из дома?!

Хотя можно сказать, например, что она сомнамбула. Да-да, лунатичка! Ну вот и нынче ночью выбралась на карниз, чтобы прогуляться, — ну и свалилась, оттого так вся растрепалась.

Тут Лелю начал разбирать нервный смех, который она нипочем не могла унять. Не присмирела, даже когда обнаружила, что дверь черного хода и впрямь изнутри заперта. Странным образом она ничуть не разволновалась, спокойно вернулась к парадной — и тут увидела, что дверь приоткрыта!

У коновязи нервно перебирал ногами усталый, взмыленный конь.

О том, чего Леля больше всего боялась — о возвращении Эрика! — она почему-то даже не подумала. Подумала, что кто-то прибыл с известием... к кому? Возможно, к штабному генералу Ивакину, жившему в третьем этаже?.. Вот швейцар и отпер дверь в неурочное время, а закрыть забыл!

Это, конечно, было чудо и Божий промысел, за который следовало поблагодарить судьбу, но Леле сейчас было не до того, чтобы бить благодарственные поклоны.

Она мигом скользнула внутрь и, как на крыльях, взлетела во второй этаж, который занимала квартира Пистолькорсов. Теперь предстояло войти туда... Но Леля не успела придумать, что будет говорить перепуганной прислуге (ладно, если откроет Анюта, ей вообще ничего не нужно объяснять, а если дура-кухарка, которая встает раньше всех?!), потому что обнаружила, что отворена и квартирная дверь.

Чудеса просто-таки громоздились одно на другое!

Она, не трогая двери (та скрипела, а лакей, он же — истопник, никак не мог удосужиться смазать петли!), протиснулась в прихожую и, заслышав где-то в глубине комнат взбудораженные голоса слуг, испугалась в первый раз за эту ночь, потому что слышны были и голоса няньки старших детей, и кормилицы младшей девочки. Неужели что-то с детьми?! И двери открыты потому, что к ним вызывали врача.

Она так и полетела по коридору на голоса — и наткнулась на полуодетую Анюту со свечой в руке. Та окинула изумленным взором Лелю в измятом капоте, растрепанную, — и даже рот зажала себе свободной рукой, чтобы не вскрикнуть, но тут же овладела собой и проговорила:

— Ах, барыня Ольга Валерьяновна, наконец-то вы изволили проснуться! Я уж не знала, как вас добудиться, стучу, стучу в вашу спальню, а вы не отворяете...

— Да что случилось? — спросила Леля, на лету принимая подсказку и зевая. Изображать ей ничего не приходилось, потому что спать вдруг захотелось ужасно, несмотря на вспыхнувшую тревогу. — Что за шум? Что случилось?! Дети здоровы ли?..

— Курьер прибыл из Красного Села, — сказала Анюта, сочувственно глядя на барыню. — С его благородием беда...

Леля только и успела всплеснуть руками, как из освещенной гостиной показался человек в конногвардейской форме:

— Сударыня, я прислан из Красного Села сообщить вам, что супруг ваш тяжело пострадал и находится сейчас под наблюдением врачей. Говорят, желательно было бы, чтобы вы прибыли незамедлительно. В город перевозить его боятся, поскольку состояние тяжелое...

Курьер говорил быстро, сочувственно, а Леля как стояла, прижав руки к горлу, так и двинуться не могла. Как же ей еще на улице в голову не пришло, что курьер мог прибыть не к Ивакину, а к ней? Да просто потому, что она вообще забыла в эту ночь о существовании в ее жизни мужа. Вот и сейчас... Она должна была испытывать страх за жизнь Эрика, да и страх за себя — а если с ним и в самом деле все плохо, как же она останется — вдовой с тремя детьми?! Как будет их поднимать?! Легко ли?!

Но тревога мигом улеглась. Как если бы кто-то всеведущий посулил ей, что все будет хорошо, и не просто посулил, а клятвенно пообещал, да еще печатью заверил!

Леля пролепетала, что нынче же отправится в Красное Село, и приказала кухарке напоить курьера чаем и накормить завтраком на кухне. Та отправилась спешно раздувать самовар, истопник поспешил к плите. Потом Леля спросила у нянек, как дети. Все трое малышей спокойно спали. Да и неудивительно: на часах едва пробило пять.

Леля отогнула штору, посмотрела в окно: рассвет уже разгорелся вовсю, пышный июльский рассвет...

— Анюта, мне надо прийти в себя, — чуть слышно пробормотала Леля, помня о том, что ее могут услышать обе няньки и вторая горничная. —

Это известие меня... подкосило. Начните собирать мне вещи в дорогу, пусть наймут карету... хотя нет, я поеду поездом. Анюта, погляди, во сколько можно выехать?

Анюта ринулась в прихожую, где в столике под зеркалом лежали расписания Балтийского и Московского путей сообщения.

Железную дорогу до Красного Села открыли уже больше десяти лет назад, однако Леля не любила поезд. Но если посылать за извозчиком (собственного выезда у Пистолькорсов не было, слишком дорогое удовольствие, довольно того, что три коня стоят в гвардейской конюшне, к тому же в Петербурге так много извозчиков, что легко нанять в любую минуту!), то можно выехать хоть через полчаса. Поезд же отправляется по расписанию, и не раньше восьми утра...

— В половине девятого отправление, — выглянула из прихожей Анюта. — А следующий — в одиннадцать часов пойдет.

— Извозчик пусть к половине восьмого тут будет, — велела Леля. — Слышите? Анюта, собирай и свои вещи, поедешь со мной. А мне надо... мне надо немного полежать, это известие меня подкосило... — Она пошатнулась, хватаясь за стену, потом слабым голосом велела сказать ей, когда пробьет семь, и побрела в кабинет Эрика. Упала на жесткий волосяной диван, на который даже не садилась никогда, настолько на нем было неудобно, и, натянув на себя плед, которым

Еще одна из дома Романовых

никто прежде не покрывался, до того он был колюч и груб, уснула без всякой подушки, уснула так крепко и сладко, будто спала в самой мягкой, самой удобной на свете постели.

Кое-как Анюта добудилась ее в назначенное время и помогла собраться. Ушлая субретка ни о чем не спрашивала, хотя любопытство ее так и разбирало. Однако Леля даже с ней не собиралась делиться тайнами своих ночных приключений! На извозчике она клевала носом, в вагоне дремала, и даже когда ей сообщили в красносельском лазарете, что конь штабс-ротмистра Пистолькорса на полном скаку споткнулся, упал вместе с седоком, да так, что всей тяжестью своей по седоку еще и перекатился, а лука седла пришлась как раз в низ живота, причинив сильные внутренние повреждения, — даже в эту минуту Леля едва сдерживала зевоту.

...Судьба, впрочем, оказалась к Эрику достаточно благосклонна. Он не умер от внутреннего кровоизлияния, чего опасались врачи, а довольно скоро начал поправляться, наотрез отказавшись выходить в отставку и взяв только непродолжительный отпуск для лечения. Организм у него оказался поистине богатырским! Вскоре он вернулся к службе; казалось, ничто не напоминало о падении, кроме... кроме того, что мужские функции его организма оказались подорваны. Отныне Леля могла не опасаться новых беременностей.

Сначала она была этому так рада, что едва могла изображать жалость к мужу. Потом почувствовала, что ей Эрика и в самом деле жаль. Потом она поняла, что жалеет, скорее, себя, а не его... Потом поняла, что ей все же многого недостает в жизни.

А впрочем... А впрочем, ведь и раньше от супружеской жизни у нее было ощущение, что она встает из-за пиршественного стола голодной! Но тогда хоть и была — пусть призрачная — надежда хоть когда-нибудь насытиться. А теперь такой надежды не осталось. Эрик навсегда останется импотентом.

Разумеется, Леля никому ничего не рассказывала. Предполагалось, что доктора тоже соблюдают врачебную тайну. Оставалось только диву даваться, каким образом об ущербности штабс-ротмистра Пистолькорса стало известно всем в полку и даже за его пределами, если судить по шуточкам великой княгини Марии Павловны!

А между прочим, Эрик Пистолькорс даже мысли такой не допускал — что над ним могут посмеиваться. Он был крепко прикрыт броней своей важности и самоуверенности! Каким-то неведомым образом ему удалось внушить себе мысль, что супружеские обязанности его больше не влекут потому, что служба всецело занимает его существо, что она подчинила себе всю его жизнь до такой степени, что ничему больше там нет места.

А между тем это ощущение физического голода, эта неутоленная чувственность придавали Леле особое, почти неодолимое очарование в глазах мужчин. Она ощущала их желание постоянно, тем более что теперь, освободившись от изматывающих беременностей, восстановив здоровье, она буквально нырнула в светскую жизнь — разумеется, не в жизнь шпаков, а жизнь полка. Теперь вокруг всегда были мужчины, смотревшие на нее жадными глазами. Все было почти как прежде, когда она, девушкой, могла вскружить голову любому кавалеру. Но тогда от нее требовалось только находиться рядом с мужчиной. Теперь, однако, Леля отлично понимала, чего ждут от нее многочисленные поклонники! Тем не менее пока ни один из них не возбудил в ней такого желания, чтобы она решилась забыть об осторожности. Кроме того, она безотчетно надеялась, что та волшебная встреча может повториться...

Миновало несколько лет. Вскоре пошли разговоры о том, что великому князю Владимиру Александровичу понадобился новый адъютант, а потому он внимательней присматривается к офицерам. Затем, когда Леля была ему представлена на рождественском балу, она поймала несколько раз его игривый взгляд и почувствовала, что сама оживляется.

Конечно, это опять был не *он*. Но чем-то похож... И кроме того, если уж вступать в эту игру, то сразу — сорвав банк.

Не то чтобы Леля хотела заплатить самую высокую цену за новое назначение мужа, хотя должность адъютанта командующего поднимала на очень большую высоту не только Эрика, но и его жену... Сильнее всего Леля хотела приключений, риска, полного своего перерождения!

Роман с великим князем, к тому же — командующим округом мог открыть Леле именно такую возможность. Хотя доводить дело до адюльтера она пока не собиралась.

* * *

«Александра мне очень нравится. Я вам уже писала, дорогая бабушка, что она двоюродная племянница Сергея. Она такая милая девушка, просто прелесть! Ее ум весьма оригинален. Мы с Сергеем всячески стараемся выразить ей свою любовь. Мы оба надеемся, что они с Павлом будут очень счастливы! К тому есть все условия, как известно!

Если бы вы только знали, что за прелестные стихи написал знаменитый русский поэт Афанасий Фет ко дню бракосочетания этих двух самых дорогих нам людей! Я перепишу их по-русски, однако постараюсь и перевести для вас. Конечно, мой перевод будет очень далек от совершенства, однако можете не сомневаться, что стихи в самом деле превосходны и, как мы с Сергеем думаем, вполне отдают должное и красоте этой милой девочки, и тому счастью, которое она принесет нашему дорогому Павлу, а также, надеюсь, и сама обретет в России. Вот эти стихи...

> *Поведай первую любовь*
> *И возвести струнами лиры:*
> *Кто сердце девы молодой*
> *Впервые трепетать заставил?*
> *Не ты ли, витязь удалой,*

Красавец, царский конник, Павел?
Созданий сказочных мечту
Твоя избранница затмила,
Трех поколений красоту
Дочь королевы совместила.
Суля чете блаженства дни,
Пред ней уста немеют наши, —
Цветов, влюбленных, как они,
Двух в мире не найдется краше...»

Элла задумчиво рассматривала письмо, которое предстояло отправить в Англию. Королева Виктория очень хотела знать, как идет жизнь ее внучек, которые уже все вышли замуж! Она требовала, чтобы и Элла, и ее сестры сообщали ей обо всем — и о событиях, которые с ними происходят, и о своих мечтах, о мыслях, о тайных желаниях... Старшие сестры старательно исполняли волю бабушки. А вот у Эллы всегда было что скрывать. Перечитывая свои послания перед тем, как их отправить, она словно бы видела эти недописанные, тайные слова, фразы, которые совершенно меняли и строй письма, и его содержание.

Например, ее отзыв об этих стихах... Стихи, по мнению Эллы, были отвратительные! Напыщенные, выспренние, фальшивые, ходульные, к тому же написанные в подражание тому старинному наречию, которым изъяснялись русские, пока еще не цивилизовались благодаря Европе вообще, а в частности — благодаря бракам с германскими принцессами. Возможно, господин Фет выбрал этот стиль потому, что принцесса Александра — из Греции? А впрочем, она лишь родилась в Греции, а в ее крови нет ни капли греческой крови. Ее отец — датский принц Кристиан-Вильгельм-Фердинанд-Адольф-Георг Шлезвиг-Гольштейн-Зондербург-Глюксбургский, который был избран на греческий престол, когда ему едва исполнилось семнадцать. Ее мать — дочь русского великого князя Константина Николаевича, королева эллинов Ольга Константиновна[1].

Это были очаровательные люди, и они, и вся их семья очень понравились Элле с первой минуты знакомства.

Произошло это знакомство вскоре после свадьбы Сергея и Эллы, когда они втроем — молодожены и сопровождающий их Павел — путешествовали в Святую землю, потом разъезжали по Европе, а потом направились в Грецию. Причина туда поехать была — больные легкие Павла, так что сухой, жаркий воздух Греции ему рекомендовали врачи. Особенно целебным считался воздух острова Корфу.

Сергей, обожавший младшего брата, опасался отпустить его одного, но поехать без жены он тоже не мог.

В Афинах Павел вновь встретился с восемнадцатилетней Александрой, которую раньше видел только маленькой девочкой, да и то мельком. Теперь она стала светловолосой красавицей и, ко-

---

[1] Об истории греческой королевы Ольги можно прочитать в романе Елены Арсеньевой «Русская лилия», издательство «Эксмо».

нечно, сразу же влюбилась в очаровательного русского принца.

Оный принц сначала всего лишь снисходительно поглядывал на девушку, которая была на десять лет младше и порой вела себя точно дикарка — особенно на взгляд утонченной, изысканной Эллы (девочка ужасно смешила Эллу своими повадками, подобно тому, как смешили ее в Афинах эвзоны — солдаты королевской гвардии, которые носили плиссированные юбочки, белые чулки и тяжеленные башмаки с помпонами!), но Александра источала такой нескрываемый восторг при одном только появлении Павла... Можно было подумать, что сам Аполлон явился смертной! К тому же Сергей уже не раз говорил, что брату пора подыскивать себе жену, а чем не хороша Александра?

Вообще не существовало ни единой причины, чтобы не сделать ей предложение, и, когда Павел отправился в Россию за разрешением к императору Александру, можно было не сомневаться, что он получит не только это разрешение, но и самое горячее одобрение.

Так оно и случилось, и вскоре Александра с отцом, материю и всеми своими восемью братьями и сестрами (Христофор был еще грудным младенцем!) прибыла в Санкт-Петербург, где предстояло сыграть свадьбу.

Наверное, столь торжественно еще никогда не встречали невест великих князей! Кортеж императорской семьи в сверкающих каретах двигался с Английской набережной (туда все прибыли из Петергофа, где августейшее семейство проводило лето) мимо Сената и Исаакиевского собора, затем по Невскому проспекту — к Казанскому собору и в Зимний дворец. Вдоль дорог стояли войска, толпился народ, все громкими криками приветствовали сказочно красивую принцессу Александру.

На другой день — это было 4 июня — состоялось венчание. Первую ночь новобрачные провели в Зимнем дворце — как, впрочем, и Сергей Александрович с Эллой в свое время, — а через день въехали в свой напоминающий итальянское палаццо Ново-Павловский дворец на Английской набережной (внутренний двор этого дворца выходил на Галерную улицу), приобретенный за миллион шестьсот тысяч рублей у Надежды Александровны Половцевой (по слухам, она была незаконной дочерью великого князя Михаила Павловича!), наследницы барона Штиглица, основателя Санкт-Петербургского торгового дома, — купленный вместе с грандиозной коллекцией живописи и переоборудованный под жилье для Павла Александровича и Александры Георгиевны.

Великий князь Сергей, который, конечно, очень хорошо знал столицу, рассказал жене, что этот уголок Санкт-Петербурга называется Коломна.

«Наш очаровательный дружеский треугольник превратился в четырехугольник!» — храбро шутила в письмах Элла, пытаясь и этой храбростью, и шуткой скрыть, сколь много значили эти слова.

Сначала она говорила: треугольник превратился в квадрат, но потом перестала употреблять это слово. Оказывается, квадратами называли убежденных противников тех, кого немцы насмешливо именовали Schwule. Конечно, в присутствии Сергея это могло показаться оскорбительным намеком, поэтому Элла упоминала теперь именно о четырехугольнике.

...Среди ее любимых фотографий была одна, сделанная в Париже, где они с мужем и Павлом заказали новые дорожные туалеты, а потом отправились в ателье, чтобы сфотографироваться в них. Один снимок был сделан сзади: они, Сергей, Павел и Элла, стоят спиной к камере, держась под руки — Элла между двумя братьями. Самый настоящий треугольник! И не странно ли, что Сергей отстранился от Эллы, а Павел стоит совсем рядом, почти прижавшись?!

О нет, внешне все так прилично — создается впечатление, что они с Павлом вдвоем рассматривают Сергея чуть издали... Кому придет в голову вдуматься, что чувствуют в это время Элла и Павел, наконец-то получившие возможность прижаться друг к другу?!

Эта фотография... Она точно так же правдива и так же лжива, как то письмо, которое Элла готовится отправить в Лондон.

Ее всегда удивляло, что ее слова могут выражать одни чувства — и в то же время таить другие. Как если бы после каждой фразы стоит запятая, а потом — хитрое, лукавое «но»!

Если бы Элла могла позволить себе быть правдивой, то дорогая бабушка была бы потрясена тем, что на самом деле думает, о чем мечтает и чего желает ее милая, послушная, скромная внучка! Так вот если бы Элла могла позволить себе быть правдивой, ее письмо выглядело бы так:

«Александра мне очень нравится (но я была бы счастлива никогда ее больше не видеть). Я вам уже писала, дорогая бабушка, что она двоюродная племянница Сергея (но не только его, а также и Павла). Она такая милая девушка, просто прелесть (но, во-первых, ее красота ужасно груба, в ней нет утонченности и одухотворенности, а во-вторых, она скоро увянет, ведь Александра совершенно не умеет за собой следить)! Ее ум весьма оригинален (но ведь так всегда выражаются воспитанные люди, если не хотят прямо назвать человека глупцом). Мы с Сергеем всячески стараемся выразить ей свою любовь (но на самом деле мы ее терпеть не можем, ведь мы оба страшно ревнуем к ней Павла, однако понимаем, что показать это нельзя даже друг другу). Мы оба надеемся, что они с Павлом будут очень счастливы (но это только слова, а каждый из нас думает только, чтобы Александра куда-нибудь исчезла из нашей жизни)! К тому есть все условия, как известно (но как нам было хорошо втроем, без нее, я отдала бы все на свете, чтобы вернуть прошлое)!»

Ах Боже мой... ну до чего нелепо все выходит в жизни! У французов есть выражение objet d'amour — предмет любви. Это тот, кого ты любишь. Но если он — предмет, почему нельзя запереть его, как любой предмет, на замок, спрятать в шкатулку, чтобы охранить от чужих взоров, а главное, самому ему не дать видеть окружающий мир?! Почему мужчина так нелепо создан, почему ему нужно физическое обладание любимой женщиной?! Почему он не ценит только любование цветком красоты, для чего нужно непременно сорвать его и вобрать в себя его аромат? Ведь цветок после этого завянет и не сможет уже радовать!

Элла не замечала, что противоречит сама себе. Objet d'amour, который она мечтала спрятать от всего мира, и мужчина, который жаждет сорвать цветок ее любви, — они были одним и тем же существом. И ужас этого противоречия как раз и заключался в том, что они с Павлом не имели никакого права любить друг друга — но едва дышали от любви и желания любви.

Брат Сергея, ее мужа, а значит, все равно что ее брат, Павел — был так красив! Это была иная красота, чем у Сергея, не красота никогда не тающего льда, а красота живого огня. Как чудесно было поначалу играть с огнем, всегда зная, что в любую минуту можно отдернуть руку и охладить ожог льдом. Но все чаще наступали мгновения, когда не хотелось руку отдергивать, а хотелось... сгореть!

И, конечно, это не осталось незамеченным мужем, который любил Эллу — так, как умел любить только он. Сергей испытывал страсть к красивым вещам и ненавидел, когда посторонние — даже брат! — брали в руки его любимые вещицы: статуэтки, украшения, книги. Он не был жаден — это можно назвать обостренным чувством собственности. Точно так же он не вынес бы, если бы его любимая вещь — жена — оказалась принадлежащей брату. Да и любому другому! Как-то раз в приливе высокомерного великодушия он сказал, что позволяет Элле завести любовника, ибо у него самого любовники есть, однако это были всего лишь слова, чтобы проверить ее, и Элла это прекрасно понимала.

Да даже если и не слова! Ей никто не был нужен, ни один мужчина, кроме ее мужа... и его брата!

Часто бывало, что, стоило Элле подумать о Сергее, как он непременно оказывался поблизости. Вот и теперь за дверью раздались его неторопливые легкие шаги, а потом и он сам появился на пороге — очень высокий, очень стройный, с точеным лицом и холодным взором.

— Сударыня, — сказал Сергей, входя в комнаты жены — великолепные покои бельэтажа, отделанные в стиле рококо, драпированные шелками с цветочными узорами. В мраморном камине мерцало пламя, которое тоже казалось шелковым. — Сударыня, я хотел поговорить с вами.

Еще одна из дома Романовых

Элла подняла на мужа глаза, опустила зеркало, которое держала в руках. «Как же ты прелестна!» — снова и снова повторяло зеркало, и Элле никогда не надоедало его слушать. Вообще их покои тут и там были отделаны зеркалами, и однажды Константин, бедный поэт, осыпавший Эллу стихами (о, само собой разумеется, гораздо лучшими, чем те, которые сотворил неуклюжий рифмоплет Фет... возможно, потому, что объект и впрямь был достоин восхищения, а потому вдохновлял на подлинную поэзию, на стихи, которые словно нисходят с небес, а не высасываются с превеликим трудом из пальца?), однажды Константин что-то сказал на тему зеркального изобилия, а Сергей гордо заявил, что красота ее высочества достойна многократного отражения!

— Слушаю вас, друг мой, — ответила Элла, взяв письмо, сложив его и принявшись надписывать конверт.

— Мне чудится или вы стали реже видеться с Александрой? После нашего первого визита в их новый дворец вы там не появлялись уже два месяца! Вы даже не были со мной на освящении их новой домовой церкви!

— Я плохо себя чувствовала, — проговорила Элла, не поднимая глаз.

— Ну положим... — недоверчиво сказал Сергей. — Возможно, это правда, возможно, нет. Однако сейчас будьте честны! Мне кажется или вы в самом деле избегаете нашего брата... или его жену? Мне почудилось или вас чем-то не радует их брак?

— Уверю вас, что вам почудилось, — проговорила Элла, вновь поднимая на мужа свои чистые, удивительно прозрачные глаза.

— Надеюсь, что да, — усмехнулся Сергей. — Иначе я был бы вынужден напомнить вам о том обете, который мы давали с такой радостью, надеясь друг на друга, рассчитывая друг на друга... Могу ли я надеяться, что вы по-прежнему счастливы оттого, что мы принесли сей обет, или мечтали бы нарушить его?

— Не понимаю, отчего вы говорите это, — пробормотала Элла, в ужасе оттого, что готова выкрикнуть: да, мечтаю нарушить! Но не с вами, о мой супруг!

— Мне так показалось еще в Ильинском... Помните, мы ездили к Юсуповым, в Ракитное, там был еще какой-то нелепый праздник, ради которого нас с Павлом заставили нарядиться в ситцевые рубашки, а вас — в платье, вы еще так самозабвенно придумывали фасон, помните? А моя рубашка была из слишком тонкой ткани, и этот несносный мальчишка Феликс, это маленькое исчадие ада, все время норовил прощупать сквозь нее мои ребра!

Элла опустила глаза. Они с Сергеем были воистину достойны друг друга! Она до смерти стеснялась своих родимых пятен, а он — из-за больной спины — был вынужден носить корсет. Впрочем,

Сергей был слишком высокомерен, чтобы стыдиться окружающих, полагая, что великому князю и брату императора не пристало смущаться косых взглядов невежественных подданных, однако все же старался быть всегда, даже в жару, в мундире. Когда поверх сорочки надевался чесучовый китель, ничего не было заметно, но порою, в самую ужасную жару, китель снимать все же приходилось, и тогда ребра корсета просвечивали, да к тому же иногда тихонько поскрипывали. Феликс, сын князя и княгини Юсуповых, был редкостно красивый, еще совсем маленький мальчик. К Элле он относился с нескрываемым обожанием, не ложился спать, пока она его не поцелует на ночь, а великого князя недолюбливал: то дичился и прятался, уверяя, что Сергей на него как-то странно смотрит и ему страшно, то, наоборот, украдкой подкрадывался и норовил прощупать корсетные кости. Конечно, Сергей раздражался, а кто не раздражался бы на его месте? Однако у Феликса был чудный, волшебный голос, и стоило ему запеть итальянскую песню «Occhi da lacrime», «Слез полны глаза», как Сергей смягчался. Он готов был слушать эту песню с утра до вечера и без конца просил Феликса повторять ее. В конце концов, Феликс почувствовал к ней великое отвращение и теперь при виде великого князя убегал с криком: «Io odio questa canzone! Я ненавижу эту песню!»

— Так вот, — продолжал Сергей, — я хочу напомнить вам один из домашних спектаклей... Собственно, вы, конечно, догадываетесь, о чем я говорю? Вы помните тот спектакль, сударыня?

— Да, я его отлично помню, — ровным голосом сказала Элла.

— Я тогда полагал, что преподал вам достаточно убедительный урок.

— Да, — после некоторой заминки вымолвила Элла. — Я... многое поняла.

— Тогда я тоже так решил, — кивнул Сергей. — Более того — мне казалось, что и Павел взялся за ум! Его брак — это лучшее, что могло произойти. И вам нельзя забывать о наших планах... Мы пожертвовали Павлом ради будущего. Кстати, он совсем не считает себя жертвой. Сегодня он мне с гордостью сообщил, что Александра беременна! Думаю, нам нужно навестить ее как можно скорее. Собственно, я предупредил, что мы прибудем нынче вечером, поэтому, если вы закончили с письмами, давайте собираться.

Понадобилось не меньше полминуты, прежде чем Элла кивнула и встала из-за стола, но говорить она пока не решалась: боялась зарыдать.

Все кончено, думала она, все кончено...

Но это ей только казалось.

* * *

Солнце, солнце, да бывает ли в этой стране когда-нибудь солнце?! Бывает ли здесь тепло?! А жарко — бывает?

Сколько Александра себя помнила, ей всегда было холодно в Санкт-Петербурге. Холодно и темно. И даже когда она ответила радостным согласием на предложение Павла (ох, до чего же страстно она мечтала, чтобы это предложение было сделано, до чего же пылко молилась об этом!), и то, помнится, промелькнула мысль: «Как же я там буду жить?.. Всегда в том холоде и мраке — как я буду жить?»

И тут же, конечно, эта трусливая мыслишка съежилась и спряталась в самые глубины ее сознания, потому что в ту минуту солнцем Александры был Павел, и лучи этого солнца не просто грели ее, но и опаляли.

Любовь, нетерпеливое ожидание счастья, острое желание поскорей стать взрослой — все это заставляло Александру словно бы гореть изнутри в ожидании дня свадьбы, и больше ничего для нее не существовало, кроме стремления поскорее соединиться с Павлом — и перед Богом, и перед людьми, и перед темной ночью, которая одна только и делает мужчину и женщину мужем и женой.

Королевский двор в Афинах, а тем более — в летней резиденции в Татое, а тем более — на Корфу, где Александра и родилась, жил просто и не слишком церемонно. Драгоценные персидские ковры соседствовали на полу с милотами — овечьими шкурами, в которые так замечательно было прятать ноги от сквозняков. По стенам боковых коридоров висели пастеллары — связки сушеного, а потом слегка печеного инжира, и всегда можно было сорвать ягоду, когда хотелось перекусить до обеда. Над дверьми висели низки лука — для изгнания злых духов. 1 января — в день святого Васили вся королевская семья подвешивала в кухнях связки дикого чеснока — на счастье. (Греки называли этот чеснок сцилла.) И плющ они называли Дионисием, потому что его посадил бог Дионис, и месяцы называли на местный лад: сентябрь звался ставрит, что значило месяц креста, ведь на этот месяц приходилось Воздвижение Креста Господня, апрель звался агиоргит, потому что день святого Георгия отмечался в апреле. И никто, даже сам король Георг, не пил не разбавленным вино — все привыкли к древнему обычаю смешивать вино и воду... По коридорам огромного и не очень уютного афинского дворца, построенного предшественником Георга I, королем Оттоном, детям очень нравилось бегать и кататься на роликовых квадах[1].

Вообще все здесь было вольно!

Когда приезжали отдыхать родственники из России, они буквально в обморок падали из-за такой «дикости». Ну и, конечно, из-за того, что королевские дети были совершенно запросто с про-

---

[1] Так назывались роликовые коньки с попарным расположением колес. Квады были единственной моделью роликов до 1976 года, когда началось производство коньков с колесами, расположенными в одну линию, так называемых инлайн, которые почти вытеснили квады. Разумеется, квады конца XIX века были значительно более массивными и тяжелыми, чем современные модели, больше напоминали маленькие велосипедики, в колесах находились спицы, а их диаметр мог доходить до 20—25 см. *(Прим. автора.)*

стонародьем. В Афинах еще присутствовало некое подобие сдержанности, но в Татое, любимом загородном дворце королевы Ольги, а особенно — на Корфу, они бегали где хотели, смотрели что хотели и болтали о чем хотели. Отец и мать тоже словно сбрасывали с себя даже ту не слишком-то суровую узду, которая сдерживала их в Афинах, и относились друг к другу с подчеркнутой нежностью и вниманием.

Впрочем, Александра откуда-то знала — причем она знала это всегда, хотя и не могла вспомнить, кто и когда ей об этом рассказал, — что сначала отношения короля Георга и королевы Ольги не слишком ладились, вдобавок у короля была возлюбленная, которая замышляла убийство королевы, однако Ольгу спас один человек, который надел одежду короля, отправился вместо него к похитителям — и был застрелен ими. Еще это было связано с предательством какой-то английской гувернантки, которая тоже погибла. Более того, отношений с этой возлюбленной отец до сих пор не прервал и изредка тайно навещает ее в Париже...[1]

Когда Александра однажды спросила мать, на самом ли деле это происходило и правда ли, что отец ездит в Париж к какой-то особе, та рассердилась и посоветовала ей поменьше слушать, о чем болтают глупые служанки. Но фрейлина

---

[1] Подробнее об этой истории можно прочитать в романе Елены Арсеньевой «Русская лилия», издательство «Эксмо».

Иулиа Сомаки, очень обидевшись, что ее назвали глупой служанкой, однажды показала Александре в глухой глубине дворцового парка плиту с надписью по-гречески: *«Васили Константинос»*. По датам рождения и смерти выходило, что прожил он на свете тридцать лет. Могила была ухожена и покрыта цветами. Иулиа сказала, что именно здесь похоронен тот самый человек, и доказательством его подвига служит то, что похоронили его близ дворца, как особенного героя. И все же Александра не могла понять, почему его не чествуют, почему о нем не говорят. Хотя, если вспомнить, мать всегда с особенным выражением пела Айовасилис — песню, с которой греки начинают колядовать под Рождество (королева любила народные обычаи своей страны и старалась их свято блюсти!), а эта песня начиналась словами: «Святой Васили приходит!» А эта женщина в Париже?! Темная, странная история, она относилась к числу тех, которые взрослые скрывают от детей настолько старательно, что потом даже сами забывают, а было ли все это в действительности. Взрослые всегда что-нибудь да норовят скрыть от детей, они напускают на себя важность и таинственность, а может быть, ничего они не напускают, просто их такими сделала жизнь.

Александра размышляла: а что же она будет скрывать, когда станет взрослой? Как-то так выходило, что пока особенно и нечего. Она насмешливо поглядывала на свою младшую сестру Марию, которая, несмотря на то, что была младше Александры на шесть лет, «рано начала закидывать сети», как говорили рыбаки на Корфу: Мария постоянно в кого-то влюблялась, то в мальчиков, то в девочек, иногда и в тех, и в других одновременно. У Александры не было сердечных тайн до той минуты, пока она впервые не увидела Павла, но и тогда это была никакая не тайна: вся первая, восторженная, неодолимая любовь была написана на ее лице. У них с Павлом не было ночных свиданий и поцелуев украдкой, не было секретной переписки — весь их роман развивался чрезвычайно благопристойно, на глазах всей королевской семьи, и в глубине души Александра была согласна с двенадцатилетней Марией, которая, сморщив нос, сказала, что эта благопристойность ужасно скучна и она сама никогда, ни за что не будет благопристойной, и если уж соберется замуж, то ее роман с будущим мужем потрясет сердца греков и русских, и о нем, этом романе, будут говорить во всех домах и на всех перекрестках!

Александра вовсе не хотела быть предметом досужей болтовни, однако тайны ей очень хотелось... Хотелось чего-то такого, невероятного, известного только ей, о чем можно молчать с многозначительной улыбкой, лукаво ускользая от расспросов и переводя разговор на другое, когда эти расспросы становятся слишком уж назойливыми. Она и не представляла, что такая тайна у нее очень скоро появится, однако радости это никакой ей не принесет.

По сравнению со свободной и даже несколько безалаберной жизнью в Греции жизнь в Петербурге казалась закованной в ручные и ножные кандалы, настолько она была регламентирована, подчинена чувству долга и светским правилам. Александра всегда думала, что именно короли и цари в этом смысле более свободны, и если долг перед государством нужно соблюдать неукоснительно, то светские обязанности вполне могут подождать, если подворачивается что-нибудь поинтересней. Однако не тут-то было! Ей ни за что не разрешалось пропустить ни одного из скучных приемов, раутов, чаепитий, во время которых пить чай почему-то считалось неприличным, не говоря уже о том, чтобы что-то съесть... Жизнь в Петербурге казалась порой невыносимой, и самым тяжким было то, что Павел всем правилам этой жизни подчинялся, как покорный раб. Более того, можно было подумать, что эта тщательно расчерченная, разграфленная, регламентированная и сухая жизнь доставляла ему удовольствие.

— Моя милая девочка, вы просто волшебница! — добродушно сказала однажды Александре великая княгиня Мария Павловна, жена брата императора, Владимира Александровича. — Вы совершенно переменили Поля! Знаете, муж рассказывал, что в детстве его страшно баловали — ведь он самый младший ребенок. Его прозвище было — Кот в сапогах, потому что он обожал залезть в большие сапоги кого-то из старших и щеголять в них. И ему все сходило с рук, даже когда он накануне какого-нибудь приема утаскивал парадные сапоги самого императора. Постепенно Павел привык к этой вольготной жизни, и как-то так вышло, что дисциплинированность ему не смогли привить. Ведь его первой воспитательницей была фрейлина Тютчева, дочь известного поэта... Знаете, старая дева, которая обожала его, как собственное дитя, и страшно баловала. Потом у него был воспитатель, некто Арсеньев, но это просто комический персонаж! Вообразите такой анекдот: наши Поль и Серж в Риме, они удостоены аудиенции папы римского, сопровождает их Арсеньев... И вдруг в разгар беседы с его святейшеством этот Арсеньев начинает совершенно непотребно хохотать! Точно не знаю, что соврал Поль, чтобы сгладить скандал, вроде бы сказал, что Арсеньев вообще сумасшедший, а тут вообще просто спятил от волнения, но только потом Димитрия Сергеевича все долго называли Димитрий Сумасшеевич!

И Мария Павловна расхохоталась. Александра робко улыбнулась, пока не понимая, что в данной истории смешного, это ведь ужас на самом-то деле...

— Так вот я к чему? — продолжила великая княгиня. — К тому, что Павел был прежде ужасный шалопай, и никакими нагоняями старшие не могли заставить его исполнять простейшие обязанности, которые наше высокое положение налагает на нас. Однако теперь... теперь он является первым и уходит последним, вы обратили внимание? Раньше самым пунктуальным считался Сергей, а теперь Павел приезжает даже раньше Сергея и уезжает позже, вы заметили?

Александра опустила глаза. Значит, это ее влиянию приписывают перемену в Павле? Нет... Она тут ни при чем, и от этого плакать хочется. Но никто не должен увидеть ее слез!

— Да, — глухо сказала она. — Я заметила.

Она знала, что Мария Павловна славится особенной, какой-то гомерической бестактностью. Павел даже специально предупреждал жену — когда рассказывал об их общих родственниках, которых он, конечно, знал лучше, чем Александра, кто что собой представляет, — чтобы она не слишком обращала внимание на болтовню этой самой Михень. Та часто говорит людям заведомо неприятные вещи — просто чтобы позабавиться. Она даже с императрицей не церемонится, потому что великий князь Владимир Александрович во всеуслышание уверяет, что из него вышел бы гораздо лучший, куда более прогрессивный император, чем из Александра. Эти разговоры вскружили Михень голову, вот она и фрондерствует, а заодно не упускает возможности воткнуть шляпную булавку в того, кто послабей.

Да, Александра была предупреждена. И все же... Все же булавка оказалась слишком остра!

Со стороны если послушать — вроде бы ничего особенного и не сказано. Однако если рана не заживает, самая ничтожная царапина может заставить ее кровоточить.

Как бы не так — Александра заставляет Павла исправно исполнять светские обязанности! Да он пойдет куда угодно и будет делать что угодно, если ему посулить, что он встретит там Эллу! А она свой светский долг блюдет свято! Значит, можно заранее предсказать, где, на каком балу или приеме ее можно встретить. Туда и устремит стопы Павел... Волоча за собой покорную молодую жену.

Александра знала о том, что ее муж влюблен в жену своего брата, так же точно, как если бы он сам ей об этом сказал. По сути, он и сказал! Она-то сама долго ничего не замечала. Элла и Сергей были к ней необычайно внимательны, заботились о ней — как Александре поначалу казалось, совершенно искренне заботились!

Александра не забыла, что Элла и Сергей оказались свидетелями их с Павлом первых встреч, первых объяснений, что они всячески покровительствовали их браку, а Элла целый альбом изрисовала модными туалетами, которые надо сшить Александре перед приездом в Санкт-Петербург, чтобы не показаться будущим родственникам провинциалкой и даже — дикаркой.

Жизнь в их имении Ильинском поначалу казалась ей сущим раем. Александра искренне считала, что это единственное место в России, где целый день может светить солнце! — и считала так до тех пор, пока не услышала разговора между Павлом и Эллой.

Собственно, это случилось уже в Петербурге, зимой. В то время туда прибыл великий герцог

Гессен-Дармштадтский Людвиг. С ним приехали молодой принц Эрнст Людвиг и принцесса Алиса. Это были брат и сестра Эллы. Она называла брата Эрни, сестру — Аликс, и вслед за ней именно так стали их называть все. Разговоры о том, что Аликс — будущая невеста русского наследника, велись в то время уже не только в кулуарах или гостиных, но и вполне открыто.

Потом в свете долго обсуждали, какое впечатление произвела на Эрни и Россия, и тот великолепный прием, который был им с отцом оказан. Он записал в дневнике: «За четырнадцать дней я побывал на пятнадцати балах. Последний из них начался в полдень и продолжался до шести часов, затем состоялся торжественный обед, следом, примерно с половины восьмого вечера, продолжение бала до полуночи, после этого — званый ужин... Званые балы в Зимнем дворце прекраснее всего... Ужин сервируют в очень большом зале, где однажды прошел бал, на котором присутствовало три тысячи гостей!.. Однажды мы с Ники и с другими юношами после бального обеда спустились в один из залов, где пел цыганский хор. Оркестр состоял из гитары, балалайки и бубнов, однако впечатление от музыки было потрясающее. Я никогда не забуду этого. Мы попросили сыграть что-нибудь танцевальное. Музыка была такая, что мы все пустились в пляс — и не могли остановиться, словно с ума все посходили. Я так никогда в жизни не танцевал! Это было совершенное опьянение. Причем так мы каждый день опьянялись весельем. Откуда только силы брались! Днем ездили на Острова, где были танцы, потом пили чай, опять танцевали несколько часов, и уже в темноте отправлялись кататься со снежных гор, мчались по улицам на санях... Мы почти не спали, мы не могли спать, хотелось, чтобы это веселое буйство длилось бесконечно!»

Неизвестно, кто и каким образом умудрился заглянуть на страницы дневника, но потом, когда гости отбыли, в окружении великого князя Владимира Александровича снисходительно посмеивались над этой почти неприличной восторженностью. Хотя все эти европейцы ведь и не знают, что такое настоящая, истинная русская роскошь!

Ну что ж, Петербург своими балами славился! Одними из первых в Ново-Павловский дворец нанесли визит господа Половцевы. У Александры как раз пила чай Элла, так что они вместе принимали гостей. Надежда Александровна в замужестве Половцева была приемной дочерью барона Штиглица, у которого и был куплен дворец для великого князя Павла. Благодаря своему баснословному состоянию — Штиглиц оставил дочери тридцать восемь миллионов рублей, — щедрому меценатству и положению Александра Александровича Половцева, действительного тайного советника, государственного секретаря и члена Комитета финансов, а кроме того, статс-секретаря императора, они были приняты в лучших домах Петербурга запросто и вообще оказались людьми необычайно милыми. Особенно очаровательным сочла Александра самого Половцева, необычайно веселого и разговорчивого человека. А как он говорил о балах! Особенно об одном, состоявшемся уже семь лет назад, однако незабываемом!

Проходил этот бал у великого князя Владимира Александровича, одеться велено было в русские костюмы.

— Вообразите, ваши высочества, — взахлеб рассказывал Половцев Александре и Элле, — бал, на который только знатных персон обоего пола было приглашено двести пятьдесят человек. На парадной лестнице, на площадке и в дверях малой столовой стояла прислуга, одетая в живописные костюмы народов, в разные эпохи имевших связь с русской историей: скифов, варягов, стрельцов новгородских и московских... Вскоре гостиная и танцевальная зала наполнилась русскими боярами, боярышнями и боярскими детьми обоего пола, воеводами, витязями, думными и посольскими дьяками, кравчими, окольничими, ловчими, рындами, конными и пешими жильцами...[1]

Государыня Мария Федоровна оделась в платье московской царицы семнадцатого века, богатство материй и камней на том платье было чрезвычай-

---

[1] Ж и л ь ц ы — часть войска и почетная стража Ивана Грозного, назывались так потому, что приходили на службу в Москву из других городов «на житье». Набирались из детей стольников, стряпчих, дворян и детей боярских.

ное! Однако император прибыл в генеральском мундире. Ну что ж, его воля! Хозяева наши надели тоже придворное платье семнадцатого века, и точность одежды была изумительная. Праздник удался в высшей степени! Как оживляло залу обилие и разнообразие ярких красок — в противоположность скучному фраку! Жена моя была в русском костюме шестнадцатого столетия, дочь — в татарском уборе, я — в костюме, повторяющем костюм с портрета стольника Потемкина. Этот Потемкин ездил в свое время послом в Англию. Но особенно выдающимися оказались костюмы Александра Алексеевича Васильчикова, директора «Эрмитажа», и двух его дочерей. Теперь я уже подзабыл, что на них было надето, помню только, что полная феерия! Все великие князья разодеты были в богатейшие наряды и уборы, вообще мужчины оделись даже с большей, чем дамы, исторической верностью. Государь вскоре после ужина уехал, но императрица продолжала танцы до половины пятого утра.

Половцев поглядел на лица своих слушательниц — и сконфузился:

— Помилуйте, ваши высочества... Неужели их высочества Сергей Александрович и Павел Александрович вам ничего об этом бале не рассказывали? Они ведь были на нем!

Элла и Александра переглянулись и враз покачали головами.

— Наверное, они просто не хотели нас дразнить, — грустно проговорила Александра, но Элла, спохватившись, что Половцеву, наверное, от этих слов сделалось неловко, решительно сказала, что приложит все силы, дабы такой бал снова состоялся — и тут-то они с Александрой всех поразят красотой своих нарядов!

Сначала Александру немного обижало, что Элла, которая была так внимательна в Ильинском, этой зимой совершенно не уделяет ей внимания. Нет, она все понимала: конечно, приехали родные из Германии, тут не до посторонних! Если бы к Александре сейчас приехали родные из Германии, она не отходила бы от них ни на шаг, была бы с ними постоянно и никого бы к ним не подпускала, чтобы не отвлекли! Однако были люди, которых Элла к родственникам очень даже подпускала! По сути дела, они с Сергеем, Эрни и Аликс почти не отходили от Ники — наследника престола, цесаревича Николая Александровича. Не надо было быть семи пядей во лбу, чтобы догадаться: Элла настойчиво сводит молодых людей. Она изо всех сил старается влюбить их друг в друга! Она хочет, чтобы ее сестра вышла за Ники!

Ну что ж, это было вполне похвальное, конечно, желание. Однако, кажется, ни император, ни императрица не были от такой возможности в восторге. У матери царевича постоянно был озабоченный взгляд, и Александра не единожды ловила сожаление во взоре государыни, устремленном на нее.

— Поль, как вы думаете, почему ее величество так странно на меня смотрит? — спросила она однажды, ужасно смущаясь.

— Как? — рассеянно спросил молодой супруг, глядя в ту сторону, где стоял его брат Сергей с женой.

— Как будто она меня жалеет, — пожала плечами Александра, и вдруг ее пронзила ужасная мысль, которую она, по неизжитой привычке делиться всем с родными, немедленно выпалила: — А может быть, она жалеет, что я стала вашей женой? Если бы вы присмотрелись внимательнее, вы бы и сами заметили ее взгляды.

— Душенька, вы с такой милой интонацией говорите эти свои славные глупости, — скрывая улыбкой раздражение, повернулся к ней Павел. — Но все же будет лучше, если вы не станете повторять их кому не надо. Минни, конечно, прелесть, но она довольно мстительная прелесть, особенно когда не в духе. Вы ведь знаете, что при дворе ее называют Гневной, из-за ее взрывного характера.

— Я никому не собираюсь ничего повторять, — с обидой сказала Александра. — Я это только вам сказала. Только вам.

— Ценю ваше доверие, моя дорогая, — улыбнулся Павел. — Простите мою резкость, я не хотел вас обидеть. И клянусь, я непременно присмотрюсь к Минни, что там она затеяла? И если она в самом деле смотрит на вас как-то не так, уверяю, я устрою ей скандал! Никто не имеет права смотреть на мою очаровательную жену иначе чем с восхищением! И что значит для нас недовольство Минни? Главное, чтобы мы были довольны друг другом, ведь правда, любовь моя?

Ах, как же он знал, что нужно сказать, как умел ее утешить! Александра мгновенно успокоилась и выкинула из головы все глупости... До того черного бала!

Он и в самом деле оказался черным, и не только по цвету...

Вообще-то цветные балы были традиционно приняты при русском дворе. Обычно проводили белые балы для самых молодых девушек, которые впервые выходили в свет, розовые балы для молодоженов... Точно такие балы были устроены и после свадеб Эллы и Сергея Александровича и Александры и Павла. Некоторое время назад — это уже Александра знала по рассказам Эллы — прошел зеленый бал. Многочисленные изумруды оттеняли платья разных оттенков зеленого цвета...

Однако на сей раз черный цвет был выбран для нарядов по воле случая.

За несколько дней до того, как бал должен был состояться, пришло известие о том, что в Майерлинге погиб австрийский эрцгерцог Рудольф. Смерть его оказалась связана со скандальными обстоятельствами, которые мигом обросли домыслами. То ли он убил свою любовницу Марию Вечеру, а потом и сам застрелился, то ли она его убила, а потом застрелилась сама, то ли обоих любовников застрелили какие-то неведомые злоумышленники... Так или иначе, согласно европейскому этикету, на неделю все увеселения должны были отменить.

Вот только у Минни имелись с венским двором свои счеты. Некоторое время назад, когда в России был траур по случаю кончины одного из великих князей, австрийцы даже не подумали отменять запланированные пышные празднества! Даже и ухом не повели!

Теперь Марии Федоровне представилась возможность показать характер. Она не сделала вид, будто ничего не произошло, и не отменила бал. Однако всем дамам предписано было появиться в черном. В Австрии траур... И у нас траур! Гофмаршал Оболенский объехал всех приглашенных лично, чтобы приказание императрицы было наверняка доведено до общего сведения.

Ох, какой переполох поднялся!

Конечно, у всех дам имелись траурные платья, однако это было совсем не то: ведь не явишься на бал в закрытом скромном туалете, в каком провожают в последний путь! Да и украшения надо подобрать соответствующие...

До бала оставалось ровно четыре дня, и в ателье и ювелирных лавках Петербурга царило в эти дни что-то неописуемое.

Еще хорошо, что мужчин сие распоряжение не коснулось: военным дозволялось быть в мундирах. А поскольку мундиры были цветными, общая картина бала получалась не такой мрачной, хотя и вполне инфернальной: белый концертный зал, красные и зеленые мундиры — и сплошь черные платья, черные бальные башмачки, кружева, веера и перья дам... И все это сверкало бриллиантами!

Александра помнила, какой необычайно красивой показалась ей в тот вечер Элла. В сочетании ее черного платья и красного мундира Сергея было что-то вызывающее. Она почти не танцевала ни с кем, только с адъютантами мужа и с Павлом, и вышло так, что после одного из туров вальса они оказались возле колонны, за которой как раз стояла Александра, вышедшая из туалетной комнаты.

— У вас горят щеки, Элла, — раздался голос Павла. — Вас так взволновал вальс со мной, дорогая сестра?

— Будет прекрасно, — после некоторой запинки прозвучал голос Эллы, — если вы почаще будете вспоминать, что я для вас всего лишь дорогая сестра. Жена вашего брата.

— Если бы я мог забыть об этом хоть на мгновение, — хрипло проговорил Павел, — мы бы не стояли сейчас возле этой колонны... Вы не знаете, Элла, куда обычно бегут преступные любовники, в Рим или в Париж?

— Нет, не знаю, — ответила она холодно. — А зачем мне знать это, дорогой брат? И вообще... разве вы недавно не побывали и в Риме, и в Париже во время своего свадебного путешествия?

— В самом деле, — усмехнулся Павел. — Эта свадьба доставила особенное удовольствие вам и Сергею, верно? Вы получили возможность избавиться от моего опасного обожания, которое ставило вас в двусмысленное положение, а главное, вы не оставили Ники возможности выбора. Как я не понимал этого раньше? Но только сегодня я обратил внимание на выражение лица Минни, которая с сожалением смотрела на мою жену, и догадался...

— Что вы имеете в виду? — теперь в голосе Эллы появилась настороженность.

— Вы прекрасно понимаете, что я имею в виду. Теперь, когда принцесса Александра замужем за вашим покорным слугой, для Ники нет другой невесты, кроме вашей сестры Аликс. Элен, дочь Луи Филиппа Орлеанского, графа Парижского, претендента на французский престол, отъявленная католичка и никогда не поменяет религию, а ведь невеста русского императора должна непременно перейти в православие. Не о Маргарет же Прусской, не о сестрице же вашего кузена Вилли можно вести речь! Во-первых, она такая же неистовая протестантка, как Элен — католичка, и тоже наотрез отказалась менять веру! А главное, Ники сразу заявлял, что лучше пострижется в монахи, чем женится на невзрачной, тощей и даже костлявой Маргарет.

— Я все же не понимаю... — Голос Эллы дрогнул.

— Нет, это я не понимал, — с горечью сказал Павел. — Вы с моим братом убили двух зайцев. Первое — теперь он может не опасаться моей к вам любви. Второе — благодаря браку Ники и Аликс, которая находится всецело под вашим воздействием, Сергей может удовлетворить свое непомерное честолюбие и начать влиять на будущего императора уже сейчас.

— Боже, я просто ушам не верю! — возмущенно сказала Элла. — Вы оскорбляете Сергея, который вас так любит?!

— Да ведь и я люблю его, но что оскорбительного я сказал? — усмехнулся Павел. — Быть братом императора и не мечтать добраться до власти — невозможно. Этим болезненным честолюбием так или иначе заражены мы все — Владимир, Алексей, Сергей, ваш покорный слуга... Другое дело, что даже Владимир и пальцем не шевельнет, чтобы подчинить интересы наследника своим интересам. А вот Сергей шевельнул... причем, как опытный кукловод, шевельнул вашими пальцами...

— Не понимаю, как можете вы оставаться нашим другом, нашим братом — и обвинять нас в холодной, бездушной расчетливости?! — почти прошипела Элла. — И вы еще смели говорить мне и Сергею о любви...

— Любовь с закрытыми, нет, даже с зажмуренными глазами — это любовь маленькой, неопытной девочки. Так любит меня моя жена. Это слепая любовь, которая не желает прозреть, — печально проговорил Павел. — Но яркий свет реальности может с такой силой ударить по глазам, что уничтожит эту любовь. А вот если видишь все недостатки любимого человека — и в то же время не перестаешь его любить, вот это и есть любовь истинная. Именно это чувство я испытываю к Сергею и... к вам, Элла. И на мое чувство ничто не повлияет. Ничто и никто. Даже отчетливое понимание того, что Вильгельм Прусский почему-то не посватался ни к одной из прелестных Гессен-Дармштадтских сестер. Почему? Не потому ли, что опасался некоей наследственной болезни, которую называют проклятием Кобургов?

— Что?! — выдохнула Элла. — Вы на что намекаете?! Мои сестры замужем, у них есть дети, здоровые дети!

— Но ваш брат Фридрих был болен! — неумолимо проговорил Павел. — Значит, кто-то из женщин вашей семьи может оказаться носительницей смертельной заразы, опасной для любой династии. Это так?

Элла пробормотала что-то невнятное.

— Вы не спорите, — с тоской проговорил Павел. — Значит, понимаете это. И понимаете, что я должен предупредить императрицу о такой страшной возможности. Лучше наследнику русского престола подождать, пока подрастет сестра моей жены, в конце концов, лучше взять в жены родовитую русскую девушку, как поступали наши предки.

— Вы еще скажите, жениться на его любовнице, этой польской танцорке, как ее, Кшесинской! — хихикнула Элла. — И не знать, кто станет истинным отцом наследника престола: сам милый, простодушный Ники — или ваш кузен Сергей Михайлович, который в Кшесинскую отчаянно влюблен? Или вовсе ваш обаятельный дядюшка — великий князь Владимир Павлович!

— О, да вы хорошо осведомлены, — усмехнулся Павел.

И даже Александра, как ни была она потрясена подслушанным, невольно усмехнулась этой осведомленности Эллы, которая всегда брезгливо морщилась, стоило ей услышать хотя бы намек на какую-нибудь придворную сплетню. А тут, глядите-ка — выпалила столько...

— У меня есть глаза и уши, — зло сказала Элла. — Я вижу то, что происходит, и слышу то, о чем говорят. Кроме того, у меня есть разум! И он позволяет мне делать верные выводы даже о том, о чем не говорят вслух! Если бы я была мужчиной...

Павел фыркнул:

— Умоляю вас... Не подвергайте мое воображение такому зверскому насилию! Вы — мужчина? Вы, с вашей красотой, очарованием, нежностью.

— С таким умом и с таким характером, — непримиримо дополнила Элла. — И все же... Если бы я была мужчиной и любила женщину так, как любите, по вашим словам, меня вы, я бы для начала задумалась, почему это она и ее муж дали друг другу слово никогда не быть друг для друга не чем иным, а только братом и сестрой? Почему они решили соблюдать вечную девственность?

— Боже мой, Элла... — простонал Павел. — Вы хотите сказать, что...

— Я хочу сказать, что моя младшая сестра Аликс совершенно здорова, — твердо сказала Элла. — И для судьбы русской династии она не несет никакой угрозы. У меня — носительницы наследственной болезни Кобургов — нет и не будет детей. Проклятие Кобургов умрет вместе со мной!

Настало молчание, Александра не верила своим ушам! Она никогда не слышала ни о каком проклятии Кобургов, ни о какой болезни, которая могла быть опасна для судьбы династии. Но, видимо, это и впрямь было что-то ужасное, потому что Павел все молчал, а когда заговорил, у него дрожал голос:

— Так вы принеси себя в жертву року? Неужели это правда, Элла? Любовь моя... Мне нет прощения!

Элла что-то сказала в ответ, однако голос ее был заглушен смехом пары, пролетевшей мимо. А через минуту Павел и Элла отошли от колонны и снова влились в танцующий круговорот.

...Александра почувствовала, что сейчас зарыдает. Боль в сердце казалась невыносимой. Но страшным усилием воли она удержалась от слез. Заплакать могла та маленькая, неопытная девочка, которой считал ее Павел. Но за несколь-

ко минут Александра повзрослела. Она чувствовала эту перемену в себе так остро, как человек ощу-
щает выздоровление от болезни.

Новыми глазами теперь взглянула она на свою
жизнь и на отношения с мужем. О нет, любовь ее
к нему не дала трещины... просто это была уже
другая любовь.

Александра вспомнила мать, которая со странным, мечтательным выражением лица поет: «Святой Васили приходит!» — и знает, не может не знать
о тайных поездках отца в Париж. Но продолжает
любить его, продолжает рожать от него детей. Вот
так теперь и Александра будет знать тайну своего
мужа... И рожать от него детей.

Первого, во всяком случае, она уже носит, хотя об этом еще не знает никто. Александра хотела
раньше других сообщить эту новость Элле, но теперь сначала напишет матери.

И сделает все, чтобы больше не видеть Эллу!

* * *

*«Мой дорогой Главнокомандующий! Вы были
так добры ко мне заехать, и я, избалованная Вами,
смутно надеялась, что Вы повторите Вашу попыт-
ку. Но увы! Оттого в жизни и бывают разочарова-
ния, что мы надеемся на слишком многое!!! Итак,
неужели я Вас до моего отъезда не увижу? Сегодня
я исповедуюсь, а потому — простите меня, грешную,
во-первых, во всем, а во-вторых, за то, что попро-
шу Вас приехать ко мне в четверг, от 3-х до 6-ти,*

или же в субботу в то же время. Я прошу Вас заехать оттого, что хочу Вам дать, как всегда, маленькое яичко на Пасху и боюсь, что на праздник Вас не увижу.

Всегда всем сердцем Ваша Ольга Пистолькорс».

Владимир Александрович прижмурил один глаз.

Лихое письмецо! Много сказано, а еще больше читается между строк. В прошлый раз, когда он заезжал к Леле (для близких друзей и самых уважаемых людей, а великий князь, несомненно, относился не к одним, так к другим, Ольга Валерьяновна была Леля или «мама Леля», как называли ее дети. А подражая им, и взрослые стали называть так мадам Пистолькорс, усматривая в этой фамильярности что-то почти интимное — и в то же время прикрывая словом «мама» совсем даже не родственные чувства, которые вызывала в них эта женщина), она повела его в свой кабинетик смотреть какие-то фотографии и усадила ради этого в кресло. Комнатка была настолько тесна, что никакой другой мебели, кроме бюро и стула, там не помещалось. Ну, Леля и уселась на ручку кресла — жесткого, скользкого — и оживленно принялась рассказывать великому князю о том, кто изображен на фото.

— А это мы с сестрой Любочкой, я к ней, к слову сказать, на Пасху собираюсь поехать на Ривьеру, она там сейчас с детьми, я тоже всех своих заберу...

На этой фотографии она уже замужняя дама, а я, видите, еще гимназистка... Помню, родители повели нас делать фото, а помощник фотографа из-за занавески высовывался и строил такие глазки, что нас с сестрой разбирал ужасный смех. Фотограф не мог понять, с чего мы покатываемся и не хотим принять томный вид, какой полагается для съемки, но в конце концов маман заглянула в салон, заметила этого молодого человека и устроила страшную сцену — сказала, что тут развращают девиц и приличных дам, а потому мы немедленно уходим. Фотограф ужасно разволновался, стал умолять остаться, посулил сделать снимки за полцены, а помощника выгнать взашей... Фотографии и правда сделал почти за бесценок, а вот выгнал ли помощника, не знаю, хотя, помню, моя мстительная маман собиралась пойти проверить!

Она так бурно жестикулировала, так раскачивалась от смеха, что вдруг соскользнула с подлокотника — да и угодила прямо на колени к Владимиру Александровичу. Этого, конечно, никак не могло не случиться, очень уж милочка Леля ерзала, и он все поджидал, ну когда же, когда?.. И вот — нате вам!

Конечно, она пискнула, ойкнула и охнула, и принялась извиняться, и попыталась вскочить, и как бы невзначай оперлась на плечо Владимира Александровича, и лицо ее оказалось рядом с его лицом, а губы рядом с его губами, и случился весьма пылкий поцелуй, который повторялся неоднократно, и великий князь убедился, что Ольга Валерьяновна не носит дома корсет. О, это было так волнующе... Ее гибкая спина, и упругие округлости под капотом, и мягкий животик, и шея, которую щекотали его усы, а Леля смеялась, закидывая голову, так что полы ее капота на груди разошлись, и он своими усами добрался до белых холмов груди, и тут она перестала смеяться, а начала постанывать, и Владимиру Александровичу оставалось только расстегнуть себе галифе и задрать ей юбку, однако...

Однако за стенкой вдруг затрезвонил телефонный аппарат, и послышались быстрые шаги Мальцева, адъютанта ее мужа (ну да, у всякого адъютанта важного лица есть еще и свой адъютант, и не один, который дежурит в его квартире во время отсутствия своего начальника, а при надобности оказывает услуги его супруге и детям). Мальцев взял трубку, сообщил, что ротмистр Пистолькорс в полку, — и Владимир Александрович при звуке его голоса и при упоминании фамилии хозяина дома несколько протрезвел. Да и Леля спохватилась, запахнулась, слезла с его колен и приняла такой вид, будто вообще ничего не произошло. Ни словом они не обмолвились о случившемся! Однако в глубине прекрасных удлиненных глаз Ольги Валерьяновны мелькали такие бесенята, что было ясно: происшедшее доставило ей немалое удовольствие и она надеется на продолжение.

— Ах, — сказала Леля, — этот Мальцев, он ужасно старательный. И никогда не отказывает помочь даже в мелочах. Право слово, если послать его к модистке за новой шляпкой, он непременно пойдет и все выполнит наилучшим образом, несмотря на то, что моя модистка живет на другом конце города и часа два уйдет на поручение. Никак не меньше! Завтра у нас, к сожалению, Ковалев дежурит, а это такой зануда, лентяй и каждой бочке затычка, вечно по всем комнатам нос сует, однако послезавтра снова Мальцев, к счастью, дежурит. Вот как раз послезавтра в три часа я его к модистке собиралась отправить.

Даже круглый дурак догадался бы, что мадам Пистолькорс назначает великому князю на «послезавтра в три часа» любовное свидание, во время которого им уже никто не помешает. Догадался и Владимир Александрович — тем более что дураком он не был, тем паче круглым.

Разумеется, великий князь ничего не обещал — приедет или нет, это было бы слишком уж откровенно, да и не был он вполне уверен, — однако поцеловал хорошенькую ручку хорошенькой хозяйке особенно пылко и даже провел усами и губами выше запястья, нарочно щекоча нежную кожу, что, как он неоднократно слышал от многих дам, действовало на них возбуждающе.

Леля и в самом деле возбужденно хихикнула, томно вздохнула — и быстро поцеловала Владимира Александровича в разгоряченную, гладко выбритую щеку.

Как только он вышел из дому и сел в свои легкие санки, вдыхая запах весны (Пасха в этом году пришлась на март, и, хоть все кругом было завалено свежевыпавшим снегом, синички уже тинькали и вообще теплом веяло!), как в голове мгновенно прояснилось.

Конечно, Леля все это нарочно подстроила, в этом у Владимира Александровича не было никаких сомнений. И, если бы не телефонный звонок, отдалась бы ему прямо там, в кресле. Надо полагать, послезавтра будет организовано нечто подобное... Или гостеприимная хозяйка сразу поведет его в будуар? Под каким предлогом? А нужен ли предлог людям, которые желают предаться любви?

Нет, если желают оба. А если — нет?..

Вообще стоило подумать... Если бы не звонок, Владимир Александрович, скорее всего, впал бы во грех. В мгновенный, необременительный, усладительный такой грешок. Это было бы даже извинительно — бес подзудил, искусил, можно ли было устоять?! Ну, конечно, потом великий князь, раскаиваясь, заехал бы в церковь — может быть, даже вот в эту самую, маленькую, низенькую, неказистую и неприметную, что мелькнула на повороте Ильинки. Здесь бы на него никто не обратил внимания, он помолился бы, поставил свечку — и вышел с обновленной душой, ощущая, что милосердный Господь простил рабу своему Владимиру эту маленькую плотскую слабость. Однако ехать на заранее условленное свидание ему, человеку женатому, к замужней даме, жене своего адъютанта... Это уже совсем другая история! Это значит, он жаждет прелюбодеяния, жаждет своего падения! Нехорошо, господа, нехорошо.

И Пистолькорс, главное, все время под боком. Как ему в глаза потом смотреть? Не исключено, что даже Зевсу было бы не вполне ловко смотреть в глаза Амфитриону, что же требовать от великого князя? Чего греха таить, были, были у него любовницы, но в связь с женами своих адъютантов он еще не вступал. Слишком все на виду! Так стоит ли начинать?

О, конечно, Леля — обворожительное создание. И доставила бы ему удовольствие немалое! Однако в ее глазах есть что-то... черти какие-то там водятся, причем в немаленьком количестве. Опасное создание, опасное! Чего она хочет? Нового любовника? Можно не сомневаться, что они у нее есть. Мечтает чего-то выпросить для себя или мужа? Да нет, она ведь не относится к числу тех чрезмерно преданных жен, которые показывают мужнину начальству разрез в своих панталонах — ах, до чего удобная вещь эти панталоны с разрезом в шагу!!! — дабы добиться протекции для супруга. Пистолькорс — служака ретивый, и ни назначением своим, ни наградами стараниям жены нимало не обязан. Если и поговаривают, будто великий князь сделал его своим адъютантом, чтобы приблизиться к его жене, то это полная глупость. По-

Еще одна из дома Романовых

тому что предложение обратить внимание на Пистолькорса исходило от Михень.

Хм, а почему она вдруг заговорила о Пистолькорсе?.. Может быть, великая княгиня неравнодушна к этому высокому светловолосому красавцу? Он и в самом деле очень привлекателен внешне, а десять лет назад, пожалуй, был сказочно хорош, хоть Феба с него пиши!

Нет, Михень в любовные игры не играет, тут можно не беспокоиться. Она слишком честолюбива для этого, слишком амбициозна. Она ведь урожденная принцесса Мекленбург-Шверинская. И не может забыть, что одна представительница Мекленбург-Шверинской династии, Элизавет Катарина Кристина, в православном крещении Анна Леопольдовна, уже была правительницей России. Почему бы у власти и Марии Александрине Элизабет Элеоноре, великой княгине Марии Павловне не оказаться? К тому же она кичится тем, что Мекленбурги ведут свой род от западных славян, а значит, Михень считает себя куда большей славянкой, чем все Романовы, вместе взятые, и император Александр — в отдельности. Михень спит и видит — самой стать императрицей или хотя бы увидеть одного из своих сыновей на царском престоле. Или для начала мужа...

Что ж, Владимир Александрович и сам с трудом усмиряет свое честолюбие, искренне полагая, что достоин престола куда больше, чем ограниченный, твердолобый брат Саша. Конечно, он свои мечтания никогда не афишировал, подчинялся династической дисциплине (в отличие от Михень, которая фрондерствовала на всех углах, видя себя новой герцогиней де Монпасье) и до последнего времени пребывал в уверенности, что брат о его амбициях не догадывается, однако недавно понял: это не так.

Некоторое время назад произошла катастрофа — крушение царского поезда под Харьковом. Александр, обладавший огромной силой, поддерживал на плечах крышу рухнувшего вагона, пока семья и другие пострадавшие выбирались из-под обломков. Когда он сам выбрался на насыпь, то насмешливо сказал: «Как же огорчится мой брат Владимир, узнав, что мы спаслись!»

Поскольку тайное расследование выяснило, что крушение произошло из-за взрыва бомбы, Владимир Александрович всерьез опасался, что фрондерские высказывания Михень и ее нескрываемое огорчение спасением императора доведут его и его семью до беды. Однако вскоре выяснилось, что заложил бомбу помощник повара императорского поезда, связанный с революционными организациями. Поставив бомбу с часовым механизмом в вагон-столовую, устроив так, чтобы взрыв произошел во время завтрака царской семьи, он заранее спрыгнул с поезда. Его так и не нашли, но Владимир Александрович вздохнул свободней и запретил жене дразнить гусей.

Еще одна из дома Романовых

Ну что ж, он тоже не будет их дразнить. Тем более что причины такой любовной активности мадам Пистолькорс ему совершенно непонятны!

Итак, послезавтра он никуда не поехал. И получил письмо, которое заставило его лукаво прижмурить глаз...

Ну и письмо... Хорошо он сделал, что не поехал, уж слишком эта дама настойчива. И, вполне возможно, хвастлива... Некоторые особы не могут удержаться, чтобы не намекнуть всем своим знакомым, какого бобра удалось убить. Не то чтобы надо от Ольги Валерьяновны держаться подальше... Жаль будет не видеть ее, не болтать с ней, не бывать на ее приемах — уж очень она прелестна, мила, обаятельна! — но больше таких двусмысленных ситуаций лучше не допускать. Никаких встреч наедине! Она умна и поймет, что между ними может быть только дружба. Веселая и ни к чему не обязывающая дружба.

Вообще связи со светскими дамами весьма обременительны. И легко можно понять тех его родственников, подумал Владимир Александрович, которые пасутся в театрах, особенно — в балетных труппах.

Скажем, оба его дядюшки — великие князья Константин Николаевич и Николай Николаевич. Один от балерины Анны Кузнецовой разума лишился, другой от Катеньки Числовой. В Красносельском летнем офицерском театре, на одном из настенных медальонов, на которых изображались профили великих балерин и актрис, по личному приказу великого князя Николая Николаевича была выбита головка Числовой. А ведь эта Числова, сколько слышал Владимир Александрович, была страшная стерва! Государь Александр Николаевич выгнал ее из Петербурга за непрестанные скандалы, которые она устраивала Николаю Николаевичу. Правда, потом император все же дозволил ей вернуться, когда на престол вступил. И все же сцены ревности и скандалы в жизни Николая Николаевича и балерины были делом обычным. Рассказывали, будто собственную почту великий князь не мог читать, пока Числова ее не просмотрит и не убедится, что там нет никаких любовных посланий для Николая Николаевича. Впрочем, стервы среди женщин встречаются довольно часто; однако, в отличие от Числовой, танцовщица Анна Кузнецова была порядочная женщина, никак не компрометировала Константина Николаевича, жила себе в замечательном доме на Английской набережной, рожала любовнику детей, составив ему таким образом самое настоящее счастье... Опять же, он мог смотреть на ее ножки сколько угодно... Она для него одного танцевала сцены из его любимых балетов...

Хм! Владимир Александрович снова прижмурил один глаз, что было у него вернейшим признаком игривых размышлений. А вот кстати о ножках и балеринах.

Еще одна из дома Романовых

Еще год назад семья императора в полном составе присутствовала на выпускном балу в Императорском театральном училище. Здесь были сам Александр и Мария Федоровна, наследник, цесаревич Николай Александрович, четыре брата государя: великие князья Владимир Александрович, Алексей Александрович, Сергей Александрович и Павел Александрович. Все, кроме Алексея, явились с супругами, причем жена Павла как раз ожидала своего первого ребенка. Здесь же находился и родной дядя государя, генерал-фельдмаршал и великий князь Михаил Николаевич со своими четырьмя сыновьями — теми самыми, которые носили прозвище Михайловичи.

Все спектакли проходили в самом же училище, во втором этаже, в зале школьного театра — маленького, но отлично оборудованного. Однако там было всего несколько рядов кресел, ну а на выпускные спектакли собиралось немало публики, поэтому в зале всегда царила невообразимая теснота. Да одна царская семья со свитой займет весь зал! А что делать с прочими зрителями?! Впрочем, решить эту задачу оказалось проще простого, потому что от дирекции Императорских театров пришел приказ: перенести выпускной спектакль на сцену Михайловского театра, иногда называемого также Французским.

При первом поднятии занавеса все выпускники должны были стоять на сцене, чтобы приветствовать гостей. Они так и норовили выглянуть в щелочку между половинками занавеса, но в зале ничего невозможно было разглядеть. Точно так же ничего не видели они и во время своих выступлений — не видели, но остро чувствовали, что на них смотрят не обычные зрители, а высшие персоны государства. Одно перечисление их титулов способно было свести с ума! Кто-то от страха пару раз сбился с ноги, кто-то вышел из музыки, но некоторым это нервное напряжение сообщило особую точность движений и высокую одухотворенность выражения. Отчасти именно поэтому все обратили внимание на выступление воспитанницы Кшесинской. Это был прелестный, выразительный танец, лукавый и кокетливый: па-де-де из балета на либретто и хореографию Добервиля «Тщетная предосторожность». Основная музыка принадлежала в этой постановке композитору Герольду, но в балете использовались народные французские и итальянские мелодии. Па-де-де исполнялось на музыку итальянской песни «Stella confidenta».

Юная балерина была прелестно одета: пышное и легкое голубое платье с букетиками ландышей необычайно ей шло.

Она была очень артистична и не просто танцевала — она и в самом деле была веселой, плутоватой и лукавой Лизой, которая всячески старается соблазнить своего поклонника Колена.

Зрители глаз не мог отвести от Лизы. Не являлся исключением и наследник престола. Он не был особенно на «ты» с русской поэзией, однако сейчас строки Пушкина сами собой невольно возникли в голове:

> Блистательна, полувоздушна,
> Смычку волшебному послушна,
> Толпою нимф окружена, стоит Истомина...

Какая Истомина? При чем тут Истомина?! Ники махнул рукой на каноны и продолжал цитировать, как хотел:

> Стоит *Кшесинская*: она,
> Одной ногой касаясь пола,
> Другою медленно кружит,
> И вдруг прыжок, и вдруг летит,
> Летит, как пух от уст Эола:
> То стан совьет, то разовьет,
> И быстрой ножкой ножку бьет.

Да уж... Ах, ну просто ах, какие у нее были ножки!

— Хорошенькая полька, да? — пробормотал заговорщически отец, доселе исподтишка наблюдавший за сыном, и пихнул Ники в бок локтем.

Владимир Александрович неприметно усмехнулся, наблюдая эту мизансцену. Для него не была секретом основная цель этого визита августейшего семейства в театр. Кто-то подумает, что императора и всех прочих вела любовь к искусству и интерес к юным дарованиям. На самом деле и визит, и пристальное внимание именно к персоне Кшесинской были вызваны тем, что маленькая императрица Минни ничего не собралась пускать на самотек, тем паче — в таком деликатном деле, как приобщение наследника престола к радостям плоти.

Кем она должна быть, первая женщина Ники, деловито размышляла мать. Одной из фрейлин самой Минни или великих княжон, его сестер? Однако фрейлина станет интриганкой. И постоянно видеть перед собой особу, которая похитила невинность любимого сына (Минни высокомерно обошла вниманием тот факт, что сие похищение было бы поручено «особе» свыше), будет ужасно противно. Лучше где-то на стороне найти что-нибудь подходящее.

Представить Ники какую-нибудь хорошенькую дочку сговорчивого дворянина? Однако тогда потребуются не только подарки девице, но и чины и выплаты папаше... Минни, которая родом была из небольшой страны Дании, до сих пор не разучилась считать деньги. Ах, как жаль, что увлечение княжной Ольгой Долгорукой так ничем и не кончилось! Она была бы очаровательной кандидатурой при всей своей неопытности. Ну, опыт — дело наживное, а неопытность в делах такого свойства очень быстро сменяется привычкой. Хотя нет, даже к лучшему, что с мадемуазель Долгорукой дело не пошло дальше невинного поцелуя, во время коего парочка и была застигнута. Это произвело на юную особу такое впечатление, она так испугалась за свою репутацию, что на некоторое время даже заболела и слегла (или, как подозревала

Мария Федоровна, просто сказалась больной). Ники мигом остыл. Как говорят русские, с глаз долой, из сердца вон. Да оно и к лучшему! Ники такой увлекающийся! Вдруг бы всерьез влюбился и завел разговор о том, что пора вернуть старые обычаи и разрешить великим князьям и даже наследникам престола выбирать себе жен из русских знатных девиц. Но как же тогда укреплять международные связи? Лучше брачных уз ничего еще не придумано... Надо решать побыстрей, приказала себе Минни. Чего доброго, Ники увлечется какой-нибудь простолюдинкой, хорошенькой горничной... А не выбрать ли для цесаревича актрису? Ходил слух, что его предок и тезка Николай I Павлович имел какие-то амурные дела с известной актрисой того времени Варварой Асенковой. Да и нынешние великие князья актерок весьма жалуют.

А впрочем, тотчас покачала головой Минни, которая не любила драматического искусства, «актерки» бывают вульгарны и ненатурально себя ведут. Они привыкли к дешевым приемам на сцене — ну и в жизни используют их. Не нужно, чтобы у будущего государя испортился вкус. Водевиль, оперетка — фи, какие пошлости! Нет, нужно что-то другое...

Оперная певица, вдруг осенило Минни. Нет, не дива, конечно, а красивая хористка. Хорошая мысль! Победоносцеву сказать... Пусть поищет подходящую особу.

И императрица снисходительно улыбнулась, представив, как *особа* будет польщена.

Однако мадемуазель Мравина, на которую пал выбор, вовсе не была польщена: напротив, она грозилась покончить самоубийством, если директор Императорских училищ Всеволожский будет настаивать. Мравина была просватана и жениха своего любила, ларчик просто открывался.

Мария Федоровна была и огорчена, и озадачена. Опять надо что-то выдумывать!

Решила посоветоваться с мужем.

— Минни, — пробормотал тот, зевая (дело происходило уже поздним вечером, когда государь с вожделением думал о подушке и объятиях Морфея), — не понимаю, при чем тут вообще певичка? Зачем, прости, ради бога, в постели оперный голос? Довольно шепота. Ники нравятся женские ноги. Я давно заметил, как он оживляется на балетных премьерах.

— Боже мой, ну что ты раньше молчал, Мака? — простонала Мария Федоровна, однако ответа не последовало: Александр Александрович уже крепко спал. Но его жена, воодушевленная новой идеей, спать не могла.

Балерина, балерина!.. А ведь в Петербурге есть Императорское театральное училище, а в нем — балетный класс. Неужто там не отыщется по-настоящему порядочная девушка, которая возьмет на себя почетный труд развеять тоску цесаревича?!

Еще одна из дома Романовых

Так, теперь надо решить, какой национальности будет барышня. Только не русская — они слишком громогласны и грубы, покачала головой императрица, которая не могла простить соотечественницам мужа то, что они смотрят на нее сверху вниз. Немка? Ну, довольно и одной немки — Алисы Гессенской. Незачем лишний раз напоминать Ники о ней. Француженка? Бог знает, чему, каким постельным пакостям может научить француженка бедного мальчика. Еще войдет во вкус распутства! К тому же после афронта, полученного от дочери графа Парижского, Минни испытывала недобрые чувства ко всем француженкам на свете. Вот если бы удалось найти польку... В них есть настоящий шарм!

Какая дивная мысль! Балерина-полька!

Она была так воодушевлена своей идеей, что, не сыщись подходящей особы, могла бы создать ее из ничего, подобно тому, как Девкалион и Пирра создали новый род людской просто из камней.

Повторять подвиги античных героев Марии Федоровне, впрочем, не пришлось. Ей на ум пришло вдруг одно воспоминание... Давнее, лет, наверное, около пятнадцати назад, или меньше...

Дети великого князя Михаила Николаевича, дяди императора, начали брать уроки мазурки. В дом привозили знаменитого танцовщика Кшесинского, артиста Императорских театров. Михаил Александрович предложил своей невестке привезти и наследника на эти уроки. Ники был почти ровесник своим дядьям. Ну что ж — это показалось Марии Федоровне занятным, однако сначала захотелось посмотреть, как эти уроки проходят.

Она появилась одна.

Юные Михайловичи, известные своей страстью к неповиновению, слушались как шелковые изящного, невысокого учителя танцев. Кшесинский привез с собой трех- или четырехлетнюю дочь: кудрявую, миниатюрную, в польском костюме — таком маленьком, что он годился бы для куклы. Да она и сама более напоминала куклу. Эту крошку звали Матильда, но отец называл ее Маля. Она была сама непосредственность! Очаровательно кокетничала с подрастающими юношами и не только бойкого, щеголеватого Сандро, отличного танцора, но даже самого застенчивого из братьев, Сергея, умудрилась вовлечь в вихрь мазурки. Поскольку Ники тоже был очень застенчив и, честно признаться, не слишком уклюж, Мария Федоровна рассчитывала, что и он не устоит перед этой маленькой кокеткой и тоже начнет танцевать, однако на другой день Феликс Иванович появился у Михайловичей один и сообщил, то Маля — Матильда прихворнула и не смогла прибыть. Без нее обучение пошло не столь весело. Спустя несколько лет Минни где-то услышала, будто дочь Кшесинского поступила в Театральное училище и подает большие надежды. И ведь теперь ей лет семнадцать...

Балерина... Подходящего возраста... Очаровательная, бойкая... к тому же полька! Хорошая мысль, в самом деле — хорошая!

Но для начала надо, конечно, как говорят русские, соломки подстелить.

Минни отправила в Театральное училище доктора Вельяминова, который принадлежал к числу тех трех врачей, которые пользовали членов императорской фамилии, и был самым молодым из них. Поскольку его мало кто знал в свете, именно он был отправлен в Театральное училище с самым что ни есть деликатным заданием: осмотреть вроде бы всех воспитанниц, а на самом деле — только одну, чья персона в данное время более всех интересовала императрицу. И, кажется, Вельяминову это удалось...

Наконец выступление окончилось. После спектакля всех участников и гостей пригласили к столу. Император приказал, чтобы Кшесинскую посадили рядом с ним. Потом, найдя глазами сына, скромно стоявшего чуть поодаль, Александр приказал:

— Поди сюда, Ники, сядь около этой девушки да будь ей любезным кавалером. И вы окажите любезность моему сыну. Да смотрите только не флиртуйте слишком!

Владимир Александрович с непостижимым выражением наблюдал за этой сценой. У Ники уже кружится голова, а кузен Сергей Михайлович явно влюбился в девушку и ревнует. Судьба этой девицы — пойти по рукам, тут нет никакого сомнения. Но разве не завидная доля — пойти по рукам мужчин из императорской семьи?

Очень может быть, судьба когда-нибудь улыбнется и ему.

Вот это будет любовница, на которую можно без риска тратить деньги и связь с которой можно скрыть от жены. А Леля Пистолькорс... Хоть господин Тургенев и писал, что дружба между мужчиной и женщиной невозможна, с ней придется удовольствоваться этим.

* * *

— Мы едем сегодня кататься на лодке?

— Конечно, если ты хочешь.

— Хочу ли я! Да я жду не дождусь этого мгновения! Если бы не эта благословенная река, сегодня можно было бы задохнуться и свариться всмятку от жары.

— А кто это совсем недавно говорил, будто в России можно умереть от холода даже в самый знойный день?

— Клянусь, это была не я. Это была греческая принцесса Александра, которая еще помнила солнце Корфу. А я уже вся вымокла от петербургских дождей настолько, что они проникли в мою кровь, сделали ее жидкой, как у всех вас, поэтому мне жарко даже в те дни, в которые год назад я чувствовала только легкое тепло.

Голос Александры, доносившийся с балкона, прервался смехом Эллы. А потом послышался звон чашек, легкий скрип отодвигаемых плетеных стульев — и голоса отдалились: дамы ушли с балкона в комнаты.

— Я заметил, — усмехнулся Павел, — что моя жена с каждым днем становится все красноречивее. Точно такой же она была, когда носила Машеньку. Потом, родив дочку, опять сделалась молчаливой. И вот... ты слышишь, как убедительно звучит голос на исходе седьмого месяца ее второй беременности?!

— О да, Сашенька в самом деле очень красноречива, — кивнул Сергей, отставляя чашку. — Ламсдорф как-то рассказывал, что она имеет на тебя хорошее влияние. Дескать, на днях, когда великий князь Павел настолько вышел из себя, что назвал кого-то из слуг дураком, молодая супруга тотчас его успокоила и попросила не позволять себе подобных резкостей, а он подчинился беспрекословно. — В голосе Сергея звучала едва уловимая насмешка. — Я просто в восторге, каким пай-мальчиком стал наш Кот в сапогах, наш гуляка и ветрогон.

— Ну, следует быть вовсе идиотом, чтобы спорить с беременной женщиной, — суховато отозвался Павел. — Ты ведь и сам с Александры пылинки сдуваешь.

— Она очаровательна, я люблю ее как сестру, а ваша дочь — клянусь, мне иногда кажется, что это моя родная дочь. Да, дети — это невыразимое счастье, я бесконечно рад, что вы подарили мне племянницу, и скоро, Бог даст, у меня будет еще одна, а может быть, даже и племянник.

Братья сидели на нижней террасе, ожидая, пока спустятся дамы.

Неподалеку от террасы рос красивый куст боярышника, в котором свила гнездо малиновка. Вчера Павел случайно нашел ее гнездо с несколькими яйцами, но спугнул птицу. Где это он читал или кто-то говорил, что спугнутая малиновка не вернется к своей кладке и птенцы могут погибнуть, даже не вылупившись? Разве что пойти проверить... но вдруг она все же вернулась, а он ее сейчас снова спугнет? И малиновка совсем улетит?

Ладно, надо положиться на судьбу. Если она не вернулась, яйца уже остыли, ничего нельзя поделать.

...Он так напряженно думает об этой несчастной малиновке, чтобы удержать себя и не сказать Сергею то, что так и просится на язык. Чем восхищаться племянницей и с нетерпением ожидать появления другой, а то и племянника, не проще ли было завести собственных детей?

Хотя, если вспомнить признания Эллы о кобургском проклятии... Странно, сначала Павел поверил ее словам безоговорочно. Но потом поговорил с врачами и узнал, что носителя гемофилии определить заранее невозможно. Значит, Элла лгала — сознательно или нечаянно?.. Так или иначе, Аликс Гессенская — нареченная невеста Ники, и будущее покажет, здоров ли будет наследник престола или...

Словом, чем дальше шло время, тем отчетливей Павел понимал: дело не в невозможности иметь детей — дело в нежелании, в каком-то воинствующем нежелании и Эллы, и Сергея жить нормальной семейной жизнью.

У кузена Кости те же дикие половые пристрастия, что и у Сергея, а между тем у них с женой уже три сына, дочь, и Елизавета Маврикиевна снова беременна. Маврушка — так ласково называли Сергей и Павел жену кузена — никогда не была красавицей, но частые роды, как ни странно, не только не утомляют и не уродуют ее, а придают новые силы и новую прелесть. Да и Александра повзрослела, став матерью. Бутон расцвел, прелестное дитя, каким она была два года назад, превратилось в красивую женщину и обещает еще больше похорошеть. Правда, Александра очень поправилась, ожидая второго ребенка...

— Кажется, дамы идут, — проговорил Сергей своим сухим, чуть скрипучим голосом.

Когда Сергей раздражен или не в духе, губы его сжимаются в нитку, глаза становятся жесткими и колючими, а голос начинает скрипеть.

Павел понял, что Сергей угадал то, что хотел сказать, но не сказал младший брат. Ну что ж, угадать было нетрудно... Ладно, между ними осталось столько невысказанного, незамеченного, затаенного, что еще одна реплика ничего не убавит и не прибавит.

Наконец появились дамы. Обе в белом, обе светловолосые, под белыми зонтиками, чуть-чуть, самую капельку, благоухающие ландышевой эссенцией, они сейчас казались очень похожими, только на Александре была просторная белая кисейная блуза, делавшая ее располневшее тело еще более громоздким, поэтому Элла, чье изящное, самую малость открытое платье, по обыкновению, облегало ее, как перчатка, казалась тоненькой девочкой рядом с почтенной матроной. А ведь Элла старше Александры на шесть лет! Но время не касается ее, она существует, словно в коконе, нет, словно в хрустальном флаконе, наполненном дивным ароматом, окруженная странной любовью мужа и окружая себя собственной заботой и любовью...

Даже неделями и месяцами безвыездно живя в Ильинском, Элла выглядит так, словно вот прямо сейчас отправится на великосветский раут. Она все реже обращалась к художникам, когда придумывала фасоны большинства своих нарядов. Сама делала эскизы и раскрашивала их акварельными красками. Элла не упустит случая подчеркнуть свою индивидуальность! Сергей, который страстно любил драгоценные камни, дарил жене много украшений, и она всегда тщательно подбирала то, что наилучшим образом сочеталось с ее одеждой.

Когда Александра родила первого ребенка, Павел захотел сделать ей какой-то необычный подарок. Какое-нибудь украшение! Сергей, увлеченный камнями, знающий о них, кажется, все, посоветовал подарить великолепный аметистовый гарнитур: серьги, ожерелье и перстень-камею в резной оправе. Александра пришла в восторг от подарка и попросила Эллу надеть украшения, чтобы посмотреть, как гарнитур выглядит со стороны. Другая женщина просто надела бы вещи и поспешила к зеркалу, а Элла отправилась переодеваться. Она выбрала серое платье и только потом надела украшения и появилась перед всеми. Эффект оказался поразительный, и Александра пришла в восторг. Правда, сказала, что теперь ей нужно сшить такое же серое платье.

Платье, само собой, немедленно было сшито. Но вот странно — то ли оттенок шелка был другой, то ли в фасоне дело оказалось, однако аметисты совершенно утратили свою красоту, какой они обладали, когда их надевала Элла.

Хотя, наверное, Павлу это лишь казалось. Александра с удовольствием разглядывала себя в зеркало и часто носила именно эти камни. Ну и замечательно, главное ведь, чтобы она была довольна, да и Сергею и Элле очень нравилось, как она выглядит в этих аметистах, они не уставали делать ей комплименты.

Ну, Сергей — он и в самом деле искренне любит Александру, относится к ней, как к младшей сестре. А вот Элла...

Элла по-прежнему оставалась для Павла загадкой — манящей и мучительной!

За те годы, когда жизнь их текла бок о бок, когда они почти не разлучались, Павел изучил все ее привычки, даже самые интимные. И понимал: Элла так старательно заботится о себе потому, что больше ей заботиться решительно не о ком. Да и не хочется...

Даже из такой малости, как переодевание к обеду, она делала настоящую церемонию, которая занимала немало времени. В церемонии участвовали все ее камеристки, горничные и гофмейстерина. Каждый раз Элла меняла не только платье, но и белье. Как-то раз Павел случайно увидел корзину с розовой атласной подкладкой, в которой лежала наготове батистовая сорочка с кружевами. Эта сорочка долго потом снилась ему в самых буйных сновидениях... Эта корзина — и ванна, в которой купалась Элла. Ванна была наполнена горячей водой, пахнущей вербеной, а в воде плавали лепестки розовых и белых роз. Красных, а особенно бордовых Элла не любила. Постепенно, по ее приказу, все кусты красных роз в Ильинском выкорчевали. Теперь здесь цвели только белые, розовые и чайные розы — всех видов, какие только удавалось раздобыть садовникам.

Как-то раз Сергей с гордостью сказал брату, что Элла потому проводит так много времени в salle de bain, в ванной, что готовит какой-то особый лосьон для лица, смешивая огуречный сок и сметану, поэтому у нее такая белая кожа. Да, Павел знал, что она не позволяла летнему солнцу касаться кожи и всегда выходила из дому только в шляпе с вуалью и шелковым зонтиком с зеленой подкладкой. Ее серые глаза — возле зрачка в одном из них было темное пятнышко — принимали в этом зеленом таинственном полусвете совершенно невероятный, колдовской оттенок...

После того, как камеристки и горничные снимали верхнюю одежду, в которой Элла ходила до обеда, она запиралась в туалетной комнате одна. Приготовленные чулки, обувь, нижние юбки и все другие предметы одежды согласно сезону были аккуратно разложены в соседней комнате, и возле них ожидали служанки. Из salle de bain доносился плеск воды. Приняв ванну, Элла надевала сорочку и открывала дверь. Тогда проворно подходили горничные, причем каждая занималась своим делом: одна помогала натягивать чулки, другая надевала на госпожу корсет, платье — и так далее.

Павел знал, что Элла никогда не показывалась горничным раздетой, без сорочки. Ему страшно хотелось спросить брата, видел ли он хоть раз в жизни свою жену совершенно обнаженной, но он прекрасно понимал, что этот вопрос задать никак нельзя — если он не хочет потерять сразу и Сергея, и Эллу (иногда, впрочем, Павлу казалось, что это сделать нужно, необходимо, что он должен от них избавиться и избавить их от себя... но сил для этого не было никаких).

Когда процесс одевания был завершен, Элла внимательно оглядывала себя — Павел был убежден, что с удовлетворением! — в трехстворчатом зеркале, установленном так, чтобы она могла видеть свое отражение со всех сторон. Если наряд вдруг не нравился, Элла снимала его и требовала другой, который примеряла с тем же вниманием и терпением.

Одна из горничных делала ей прическу. А вот ногтями Элла занималась сама. Ногти у нее были очень длинные, миндалевидные. Элла носила с собой замшевую подушечку и часто их полировала — разумеется, когда была без перчаток и когда никто, кроме своих, не мог ее видеть.

...Иногда Павел мечтал только об одном: чтобы все это поскорей кончилось. А впрочем, он уже сжился с этой любовью, как с болезнью, привык к ней и даже порой нарочно бередил ее, воскрешал. Так человек снова и снова касается языком больного зуба, причиняя себе боль... зачем? Да он и сам не знает, однако делает это и делает.

В Греции он видел на каком-то религиозном празднике людей, которые плясали на раскаленных углях. Их называли анастенары. Больше всего поражало Павла тогда, что они встают на раскаленные угли добровольно, их никто не заставляет. Они в любой миг могут сойти — но продолжают танцевать, страшно рискуя, словно зачарованные танцем.

Еще одна из дома Романовых

Таким же анастенаром чудился он сам себе... Он тоже, казалось, мог прервать встречи с Эллой в любой миг, постараться разрушить ее чары — но продолжал это сладостное мучение.

Его отношение к Александре было совсем другим. Она была таким добродушным, простосердечным, очаровательным существом! Она так его любила! Ее полудетская-полудевичья, постепенно расцветающая прелесть не могла не возбуждать Павла, однако он-то был убежден, что по ночам в постели их трое, и только мысли об Элле придают сладостный накал его отношениям с женой. Когда он думал об Элле, наслаждение было почти неодолимым.

Конечно, Александра не знала об этом, откуда? Не знала и Элла. Да и не нужно им было этого знать, ибо во многих знаниях многая же и печаль.

* * *

Я не могу забыть то чудное мгновенье,
Когда впервые я увиделась с тобой!
В тебе мои мечты, надежды, вдохновенье,
Отныне жизнь моя наполнена тобой!
В тебе, мой друг, еще сильно стесненье,
Условности не можешь позабыть,
Но лик твой выдает твое смятенье,
И сердцу твоему уж хочется любить!
И я люблю тебя! Я так тебя согрею!
В объятиях моих ты сразу оживешь.
Ты сжалишься тогда над нежностью моею
И больше, может быть, меня не оттолкнешь!

Леля задумчиво листала свой старый дневник. Она только что перечитала те страницы, которые были посвящены началу романа с Эриком. В свое время она так подробно, с таким чувством описала тот поход на ярмарку, что сейчас прочла его с удовольствием, как прочла бы рассказ о чужих чувствах и чужих похождениях. Право, очень неплохо! Можно послать в какой-нибудь журнал — конечно, изменив имена и прикрывшись псевдонимом. И все будут читать и наслаждаться. И говорить: «Ах, эта мадам Пистолькорс, до чего же она талантлива! Сколь разносторонняя! За все, что ни возьмется, все делает великолепно, вот и писательницей изрядной оказалась!»

Хотя нет. Если прикрыться псевдонимом, никто не узнает, что это написала мадам Пистолькорс. А печатать под своим именем нельзя. Конечно, Эрик не читает ничего, кроме приказов и реляций, однако вокруг мужа и жены крутятся одни и те же люди, вдруг кто-то да проболтается — читал-де опус вашей супруги, милейшей Ольги Валерьяновны, очень мило, ну очень! Можно будет вообразить, что сделается с Эриком, когда он прочтет сие творение! Вряд ли зарыдает от умиления. Скорее, наоборот.

Хотя, если он устроит сцену, это будет хоть какое-то проявление чувств... Сейчас Леле кажется, будто она живет в одном доме с египетской мумией, внутри которой встроен фонограф, на который записаны некоторые фразы, и мумия их воспроизводит по мере надобности. Фразы эти настолько общие и бездушные, что нет никакой разницы, когда их произносить — утром, в полдень или вечером. Голос Эрика всегда звучит одинаково, с кем бы он ни говорил: с женой, детьми, прислугой, с гостями... Правда, когда он оказывается рядом с великим князем Владимиром Александровичем, своим начальником по службе, в голосе и на лице Эрика появляется все же некое чувство, которое можно назвать истовостью. Это — безоговорочное послушание и готовность как можно скорей исполнить приказание его императорского высочества. Для всего остального — для горя и радости, для приветствия и прощания, для упреков или прощения — выражение всегда одно.

Раньше Леле бывало иногда жаль мужа. Конечно, как можно его не жалеть! Он ужасно пострадал! Так пострадать... Однако Эрик не только сам не проявлял никаких чувств, но и поведением своим напрочь отбивал у других охоту делать это. Даже дети никогда не ласкаются с нему. А ведь именно его настойчивости, не сказать — назойливости все они обязаны своим появлением на свете. И вот же странно, что именно Эрик, который доводил до отвращения к себе жену, зачиная этих детей, теперь сделался не только к ней, но и к ним оскорбительно равнодушен, а Леля, которая в первые минуты после рождения брала их на руки почти с омерзением, теперь стала самой нежной, самой страстной, самой заботливой матерью. Она даже представить не могла, что может так перемениться, что материнство будет доставлять ей столько нескрываемой радости. Близкие друзья поэтому предпочитают называть ее не просто Лелей, а «мамой Лелей».

И все же она давно знает о себе, что не принадлежит к числу женщин, которые могут всецело погрузиться в материнство, в семейную жизнь, совершенно забыв о себе. Но светские обязанности, которые приходится нести, — это мало, это так ничтожно мало! Речь о другом. Речь о том ночном, что составляет сущность ее натуры...

Леля часто думала о том, как сложилась бы ее жизнь, если бы Эрик не пострадал бы тогда так тяжело и не лишился бы возможностей испытывать и проявлять свои мужские инстинкты. Что, она так и беременела бы раз за разом? Без передышки? А может быть, научилась бы как-то управлять желаниями мужа и встречалась бы с ним на супружеском ложе только тогда, когда это было для нее безопасно, или тогда, когда ей хотелось бы получить удовольствие?

Хотя какое там она получала удовольствие в объятиях Эрика... Да никакого ровным счетом. Все, что она знала теперь об отношениях мужчины и женщины, она узнала не от мужа.

Леля порою всерьез задумывалась: а страдал ли Эрик от того, что лишился мужских способностей? Жить без налета страсти, без опьянения желанием, без этого чудесного ощущения если не блаженства, то облегчения, которое наступает вслед за соитием, произошедшим по неодолимой тяге друг к другу мужчины и женщины... Как он обходится без этого? Или его равнодушная, словно бы на все крючки застегнутая отчужденность — это не средство самозащиты, выработанное гордостью или гордыней, а просто болезненная телесная реакция, изменившая весь строй его чувств и мыслей? И ему в самом деле ничего не надо?

Ну что ж, тогда Эрику легче, чем его жене, потому что Лелины телесные аппетиты с годами только возрастали. Однако ласки Эрика оставили у нее настолько тяжелые и безотрадные воспоминания, что даже когда она не подозревала еще, что муж стал импотентом, ей и в голову не приходило обратиться за утешением к нему и она никогда не жалела о том, что он не сможет дать облегчение ее телу.

Любочка, сестрица, именно в эти дни женского голода Лели показала себя во всей удивительной красе, и Леля тогда в очередной раз поняла, что сестра ее терпеть не может. Считалось, что у нее слабое здоровье, и она вечно чем-нибудь лечилась, то у модного доктора Симонова сгущенным воздухом — на этих сеансах, между прочим, она познакомилась с писателем Достоевским, чем страшно гордилась, — то за границей. Пребывая на каком-то модном курорте, она посещала специалиста по женским болезням, который спросил о ее месячном цикле и ничуть не удивился, узнав, что мадам Головина ни о чем таком и слыхом не слыхала. Он с грустью сказал, что его русские пациентки, даже принадлежащие к просвещенному классу, в этих вопросах страшно невежественны, хотя, научившись считать свои женские дни, могли бы во многом облегчить свою жизнь. Любочка тогда с насмешкой ответила ему, что это знание не слишком поможет, если муж настаивает на исполнении супружеского долга в опасные дни, но все же циклы считать научилась и научила этому сестру. И, слушая ее советы, Леля не без грусти видела на лице сестры плохо скрытое злорадство. В это время уже ни для кого не было секретом, что жена Эриха Пистолькорса — соломенная вдова при живом муже, поэтому рассказывать ей о том, как оберегаться от нежелательной беременности — значило не просто соль сыпать на ее раны, но еще и перца добавлять. Или предполагать, что сестре настолько надоело воздержание, что она завела себе любовника...

В то время любовников у Лели еще не было, однако скоро появились. Она находила их среди мужчин, которым нужно было только одно совокупление, которые так же, как она, искали разрядки телесному напряжению, искали утоления плотского голода.

Неподалеку от их дома на Гороховой, в доме Елисеева, среди прочих многочисленных предприятий и обществ, занимавших два нижних этажа, находился кабинет дантиста Семагина. Леля как-то отправилась к нему ставить пломбу. Дантист оказался молчаливым человеком, жгучими черными глазами и буйными кудрями напоминавшим опереточного цыгана. Впрочем, бородка у него оказалась очень холеная, усы тоже, да и все манеры были весьма вкрадчивыми, осторожными и приятными. Его помощница сидела в приемной, записывая пациентов в очередь и охраняя покой доктора. Без зова она никогда не смела войти в кабинет. Это оказалось очень кстати, потому что во время первого же приема, пломбируя Леле зуб, доктор стоял так близко к ней и так истово терся о ее руку, лежащую на подлокотнике зубоврачебного кресла, что Леля очень скоро почувствовала его неодолимое возбуждение.

Это произвело на нее поразительное впечатление. Она была совершенно беззащитна в руках этого человека — особенно когда сидела с открытым ртом, а он чинил ее зуб, причиняя при этом пусть и небольшую, но все же боль. В этом было что-то противоестественное — желать наслаждения, испытывая боль, желать наслаждения с человеком, который тебе эту боль причиняет, — но Леля тогда слишком сильно изголодалась по соитию, кроме того, давно не находилась рядом с откровенно, беззастенчиво возбужденным мужчиной... И когда он, закончив работу, помогал ей подняться и словно невзначай обнял, Леля не отстранилась...

У нее так кружилась от возбуждения и страха голова, что она едва ли могла толком потом вспомнить, как все это происходило. Дантист толкнул ее к своему столу, заставил нагнуться, закинул на голову ее юбки и резко, грубо совокупился с ней. Изголодавшаяся женская плоть отреагировала столь бурно, что Леля издала мучительный и в то же время восторженный громкий стон и стонала все время, пока дантист продолжал свои бурные движения. Извергнувшись, он некоторое время еще ласкал ее обнаженный зад и наконец отстранился, помог встать и оправить юбки, поспешно навел порядок в своей одежде. Вскоре ничто, кроме неровного дыхания и раскрасневшихся лиц, не напоминало о том, что здесь произошло.

— Вы можете записаться в приемной на повторный визит, — сказал доктор с самым равнодушным, вежливым выражением, которое спасительно подействовало на Лелю и помогло справиться со страшным смущением. Она поняла, что и этому человеку ничего от нее не нужно было — только мгновенное удовлетворение, что они ничем не обязаны друг другу, не вправе ничего друг от друга требовать, а значит, вполне могут встретиться еще раз с тем же настроением — только чтобы получить мгновенное удовольствие и расстаться.

Она без стеснения посмотрела дантисту в глаза, встретила ответный спокойный взгляд и вышла, прижимая ладони к горящим щекам.

В приемной, кроме помощницы доктора, пожелтелой от лет маленькой женщины с седеющими волосами, сидели да человека: дама лет тридцати, по виду чиновница, вся в синем, скромном, но с вызывающе-голубым пером на шляпке, и приказчик из расположенного в соседнем доме мебельного магазина Гамбса — при виде Лели он вскочил и раскланялся, потому что недавно Пистолькорсы покупали новый диван для гостиной, именно этот приказчик обслуживал их и, конечно, хорошо запомнил мадам.

Чиновница сидела, прижав ко рту платок, словно прикрывала флюс.

И только тут до Лели дошло, что ее страстные стоны наверняка были слышны в приемной! У нее подкосились ноги от стыда, однако Леля перехватила взгляд приказчика, полный сочувствия, и сообразила, что стыдиться нечего: этот человек наверняка принял ее стоны за крики боли... Такие крики, конечно же, часто доносятся из кабинетов дантистов!

— Прошу господина Черевкова, — высунувшись в дверь, сказал доктор — и приказчик, мгновенно побледнев и бросив на Лелю умирающий взор, направился в кабинет с выражением ужаса на лице.

— Вера Кирилловна, запишите эту даму для повторного визита, — приказал дантист помощнице, кивнув на Лелю, и, бросив безразлично: — Оревуар, мадам! — закрыл за собой дверь.

— Когда вам будет угодно снова посетить доктора? — спросила пожелтевшая Вера Кирилловна, раскрывая большую тетрадку в клеенчатой обложке, лежавшую на столе.

Леля растерянно моргнула. С зубами у нее теперь все было в порядке, значит, она должна записаться только на совокупление?! Но как же... как же так можно? И откуда же она знает, когда ей снова захочется?!

— Могу я записаться позднее? — робко спросила она. — Мне надо обдумать, какого числа прийти. Сколько с меня за визит?

Вера Кирилловна сказала, что за визит полтинник серебром, да работа столько же, и добавила:

— Вы уж думайте поскорей, сударыня. Сами посмотрите, как у доктора всякий день расписан!

Леля положила на стол серебряный рубль и глянула в аккуратно расчерченную и заполненную аккуратным же почерком тетрадку. В самом деле — очень мало свободных граф. Ей показалось странным, что фамилии в основном женские.

— Да вы запишитесь на любой день, какая разница? — вдруг подала голос дама с голубым пером. — Я вот уже четвертый раз прихожу один зуб лечить. Прекрасный доктор, ничего не скажешь!

«Что ж тут прекрасного, — хотела спросить Леля, — если доктор за четыре раза одного зуба вылечить не может?!»

Она уже открыла рот, собираясь это сказать, однако перехватила насмешливый взгляд дамы — и та вдруг подмигнула Леле с самым заговорщическим видом.

Боже мой, поняла Леля, да ведь эта «чиновница» ходит сюда совсем даже не зуб лечить, а... Она получает от дантиста то же самое, что пять минут назад получила Леля! И уж она-то прекрасно поняла значение крика, который раздался из кабинета. Не флюс она прикрывала платочком, когда вышла Леля, а глушила смех! И вот почему так много женских фамилий в журнале! Они тоже... Знать бы, кто из них в самом деле лечит зубы, а кто оставляет Вере Кирилловне рублевики исключительно за плотские утехи!

Лелю начал разбирать неодолимый смех.

— Извините, какое сегодня число? — с трудом смогла спросить она.

— Девятнадцатое июля.

Так... Леля напряженно смотрела в оклеенную обоями стену. Если правильны подсчеты, которым так ехидно научила ее Любочка, нынче день безопасный. Завтра и послезавтра тоже. Потом должны прийти месячные. Это пять дней, когда ничего нельзя. После них тоже лучше остеречься недели на три.

— На завтра запишите меня и на послезавтра, — сказала Леля, стараясь не глядеть на «чиновницу», — вот на это же время.

Вера Кирилловна обмакнула перо в чернильницу и проворно заскрипела им по тетрадному листу. И в это время из кабинета донесся громкий крик приказчика из магазина Гамбса! «Чиновница», прыснув, прижала платок к губам. Леля встретилась с ней глазами — и почувствовала, что сейчас начнет неудержимо хохотать. И кинулась вон из приемной!

Потом она еще ходила к этому дантисту два или три раза, но «чиновницу» больше не встречала, хотя в приемной вечно сидели в ожидании своей очереди расфуфыренные дамы.

Потом дантист перестал доставлять ей удовольствие, и Леля больше не приходила к нему. Но неудовлетворенное желание продолжало отравлять ей существование. Леля нанесла визит гинекологу, потом — специалисту по грудным болезням. Новый, тайный мир открывался ей. Она знала силу своего воздействия на мужчин, поэтому соблазнить и того и другого ей удалось без всяких усилий. Специалист по грудным болезням был слишком прост и тороплив. Да и кушетка страшно скрипела — так, что наверняка в приемной было слышно... К нему Леля больше не пошла. А гинеколог оказался великолепен, изобретателен, некоторые ощущения стали для Лели подлинным открытием, да и полулежать в его кресле с раскинутыми ногами было не в пример удобней, чем опираться грудью на стол у дантиста или ерзать по расшатанной кушетке у знатока чахотки. К гинекологу она теперь наведывалась не реже двух раз в месяц. И уж теперь можно было не опасаться неожиданно забеременеть! Эти визиты были для нее великим облегчением, Леля заметила, что у нее даже характер улучшился. Довольство жизнью, веселье било из нее через край, именно в эту пору ее домашние приемы стали пользоваться особенным успехом. Сегодня она устраивала музыкальные вечера. Завтра — поэтические, послезавтра — театральные: разыгрывали пьески, сочиненные общими усилиями. Иногда начинали пугать друг друга, иногда — смешить, иногда устраивали лотереи, часто просто танцевали — один из адъютантов Эрика, Мальцев, был отличный тапер...

Все адъютанты поглядывали на Лелю с жадностью, и, чувствовалось, были всегда готовы к услугам... И это был, конечно, замечательный выход из положения, если бы с кем-то из них... И ходить никуда не надо... Но Леля прекрасно понимала, что, отдавшись кому-нибудь из этих мужчин, она его возненавидит за ту власть, которую он над ней получит. Кроме того, их отношения непременно будут замечены прислугой. Конечно, она мечтала иметь постоянного любовника, но не в своем доме. К тому же ее перестало удовлетворять только бездушное плотское удовольствие.

Теперь она понимала, почему мужчины презирают проституток. Не только потому, что та отдается за деньги любому, а потому, что она — за деньги — готова изобразить и страсть, и нежность, и пыл, и застенчивость, и робость, и то растворение женщины в мужчине, которое и составляет суть любви... Леля больше не могла ходить к своему любовнику и каждый раз покупать его. Пусть она оставляла деньги в приемной лишь для маскировки, чтобы не подвергать себя лишнему риску, но больше она не могла жить с ощущением покупки страсти.

Теперь ей хотелось большего, неизмеримо большего! Хотелось страсти и нежности, хотелось объятий и поцелуев, и разговоров, и смеха вдвоем, и восхищаться этим мужчиной хотелось, и принадлежать только ему...

Словом, теперь Леле уже хотелось любви. «Любить... Но кого?» Вот уж воистину!

И еще нужно было, чтобы ее любили ответно.

Она присматривалась к мужчинам, и однажды показалось, что в глазах великого князя Владимира Александровича она нашла тот свет, которого искала. Однако он не делал ни шагу навстречу. А когда Леля разыграла ту памятную сцену в кабинете, мигом превратился из почти поклонника в доброго, надежного друга — но только друга.

И как только она поняла, что эту добычу ей никогда не получить, как ей захотелось именно недостижимого. Она написала одно откровенное письмо, другое...

Ничего не менялось. Мария Павловна по-прежнему была очень расположена к Леле, но ее муж выскальзывал из рук. Терять его не хотелось.

И тогда Леля решилась на крайнее средство.

Она признается в любви! Владимир Александрович боится ее притворства, боится стать игрушкой в расчетливых руках? Значит, Леля должна убедить его в своей искренности, в силе своих чувств!

А что может быть для этого лучше, чем стихи?

Леля положила перед собой лист почтовой бумаги, раскрыла дневник на той странице, где были записаны ее стихи, покорившие когда-то Эрика, и, чуть нахмурившись от старания, принялась переписывать их на листок:

> Я не могу забыть то чудное мгновенье,
> Когда впервые я увиделась с тобой...

И так далее. Леля даже не позаботилась ничего изменить... Ведь мужчины не меняются, и то, чем ты поразила одного, легко поразит и другого!

Теперь оставалось решить, как передать стихи. Наверное, сегодня вечером. Мария Павловна хотела нынче поехать в театр и звала с собой Лелю...

Прекрасно. В театр так в театр!

Она запечатала конверт и положила его в отделанный мелким речным жемчугом ридикюль, который собиралась взять с собой.

На краю бюро лежала газета, от неосторожного движения она упала на пол и распахнулась на странице, где разнообразными шрифтами были набраны рекламные объявления. В глаза вдруг бросилось одно...

«Дантист П. Муравьев. Изумительное качество лечения зубов без боли! Вы не издадите ни одного стона!» — прочла Леля — и вдруг так и зашлась от смеха, вспомнив вопрос, который долго му-

чил ее и на который она так и не нашла ответа: тот приказчик из магазина Гамбса, который издал в кабинете дантиста громкий крик... *почему* он закричал?!

Она хохотала и хохотала, не в силах остановиться, до слез, и смехом этим, и слезами она прощалась с прошлым, безошибочно чувствуя, что нынешний вечер станет для нее началом новой жизни, новой судьбы!

* * *

Жизнь порой печалит нас, но она же и уносит огорчения или приносит на смену им радости. Недаром ее так часто сравнивают с рекой. Да и время сравнивают с рекой или с водой, которая точит камень. Время сглаживает наши обиды, учит терпеть и прощать. Это, конечно, прописная истина, однако каждый постигает ее на собственном опыте.

С того часа, как Александра, стоя за колонной, давала себе слово изменить свою жизнь, прошло не так много времени, а жизнь эта уже и в самом деле изменилась. Чуть больше года назад золоченая карета, которую везла шестерка белых коней, сопровождаемая конниками в красных доломанах, привезла в Зимний дворец для крещения первую дочь Александры и Павла. Ее назвали Марией — именем императриц! И в царской семье появилась еще одна Мария Павловна — младшая. Ее крестными родителями были — по настоянию Павла — Сергей Александрович и Элла.

Теперь Александра снова была беременна. Рожать предстояло через два месяца, и она надеялась все это время провести в Ильинском.

Вот уже почти год миновал с тех пор, как Сергей Александрович был назначен московским градоначальником и вместе с Эллой переехал из Петербурга. Сначала Александра, которая долго не могла забыть разговора, подслушанного на черном бале, этому радовалась. С глаз долой — из сердца вон, или, как говорят греки, глаза, которых не видишь, быстро забываются.

Она внимательно, исподтишка наблюдала за мужем — тоскует ли по Элле, хочет ли встретиться с ней. Однако что тут высмотришь? Павел прекрасно владел собой! Если он и тосковал, то никак этого не показывал. Правда, он сразу предложил, чтобы крестным отцом и матерью Машеньки стали Сергей Александрович и Элла, однако Александра и сама понимала, что иначе было невозможно.

Они встретились как добрые друзья и любящие родственники, не более того. Братья бросились друг другу в объятия, потом Павел подошел к Элле. В эту же минуту Сергей шагнул к Александре и крепко расцеловал ее, а потом склонился к малышке, которую та держала на руках, и на несколько мгновений заслонил от нее Эллу и Павла. Александра вдруг подумала, что он сделал это нарочно, но, гневно глянув на зятя, встретила его умиленный, слезой затянутый взор.

— Чудесное, чудесное дитя, — пробормотал он, переводя взгляд с Александры на спящую Машеньку.

— Кто? — невольно засмеялась она.

— Вы обе, — улыбнулся в ответ Сергей. — Мне даже трудно сказать, кого из вас я люблю больше. Вы мне роднее сестры, Александра, а вашу девочку я буду всегда оберегать и охранять, как отец, нет, лучше, чем отец.

— Надеюсь, вам не придется заменять ей родителей, — улыбнулась Александра, — во всяком случае, я очень благодарна.

— Не надейтесь, — почти сурово проговорил Сергей. — Я буду очень требовательным крестным. Я очень часто буду отнимать у вас дочь, чтобы наслаждаться ее присутствием в Ильинском!

— Какой ужас! — расхохоталась Александра, вдруг почувствовав себя с Сергеем так свободно, как не чувствовала никогда раньше. — Я буду отдавать вам девочку в Ильинское добровольно. Но с одним условием: вместе с ней вы заберете и меня, и Павла!

Они еще смеялись, с удовольствием глядя друг на друга, когда подошли Элла и Павел, и Александра вдруг отчетливо почувствовала, что роли переменились: сейчас не она была одинокой, завезенной из каких-то диких краев провинциалкой в присутствии великолепных великих князей, а Элла ощущала себя одинокой рядом с мужем, который восхищался женой и ребенком любимого брата. И в эту минуту Александра пожалела Эллу, потому что прозрела всей душой ее женское одиночество, ее унылое, хотя и внешне блестящее существование, поняла бессмысленность ее красоты, которая обречена на увядание и смерть, в то время как она, Александра, будет вновь и вновь расцветать и возрождаться в своих детях, в своих — и детях Павла.

И она встретила невестку такой ласковой всепрощающей улыбкой, что на глаза у Эллы тоже навернулись слезы, и спустя мгновение они уже все вчетвером утирали глаза, мужья и жены, и только Машенька, которую забрала у Александры подоспевшая няня, не плакала, а смотрела вокруг своими светлыми глазами, не утратившими еще блеклой младенческой голубизны.

С того дня на душу Александры снизошло удивительное спокойствие. Она перестала ревновать, перестала бояться за свое счастье. Она просто закрывала глаза на то, что могло ее огорчить, не прислушивалась к сплетням, не замечала колкостей, отворачивалась, если ей казалось, что Элла и Павел стоят слишком близко, и снисходительно улыбалась, когда ей чудилось слишком уж сладкое, притворное радушие в голосе или манерах Эллы. Она чувствовала себя сильнее этой одинокой и никому не нужной женщины. Да-да, Александра поняла, что хоть Сергей и восхищается красой своей жены, но рядом с ней он не нашел счастья. Этому надменному, высокомерному, порою такому неприятному человеку оказались гораздо нужнее дети, чем избалованная, самовлюбленная, поглощенная своей красотой жена. В его глазах Александра встречала такую чистую, заботливую нежность, с какой на нее смотрел только отец. Она понимала, что Сергей любит ее — как дочь, как сестру, — и любовь эта объясняется не умом или красотой Александры, она отдавала себе отчет в том, что Элла гораздо умнее и красивее ее, — но он почти обожествляет сестру мужа из-за ее материнства.

Как только потеплело, Сергей прислал Павлу письмо с просьбой отпустить Александру в Ильинское, ведь сам он теперь постоянно должен был находиться в Москве. Однако Павел и Александра должны были ехать в Грецию.

Путешествие оказалось удивительно спокойным, море словно бы лазурным маслом было полито. Они заранее отправили родителям Александры письмо и попросили не устраивать в Пирее, куда должен был прийти корабль, никакой пышной встречи, ибо приедут в Афины инкогнито. Они мечтали ну хотя бы ненадолго ощутить легкость и свободу от своих титулов и тех обязанностей, которые этими титулами налагались. Они ощутили себя детьми, которые затеяли некую игру — и все окружающие эту игру поддерживают. Конечно, все в Пирее знали, кто они, однако дружно делали вид, что на набережную сошли самые обычные приезжие, любители греческих красот и античной старины.

К самой набережной примыкал рынок. Это был юсурум — еженедельный пирейский базарчик. Несмотря на раннее утро, здесь уже все было в движении, на площади были навалены грудами арбузы, желтые персики, свежие фиги, охапки зелени, горы рыбы. Александра с восторгом смотрела на картину, которую так давно не видела: на греков в их коленкоровых шароварах и алых куртках, любовалась мальчиками, сидящими на ослах с привешенными с обеих сторон корзинами, полными зелени и плодов, женщинами под черными кружевными покрывалами, разносчиками и торговцами с античными профилями...

Ей чудилось, что она покинула родину не год, а много лет назад. Все казалось особенным: люди, море, воздух, пение птиц... С непостижимым ощущением предстала она перед полуразрушенным жертвенником с надписью по-гречески: «Неведомому богу». Павел спросил, что это значит, и Александра с особенной радостью рассказала ему древнюю легенду о том, как бог Пан разгневался на Афины за то, что его обошли жертвоприношениями во время подготовки к Марафонской битве. От него досталось афинянам много пакостей, и с тех пор — на всякий случай, чтобы еще какого-нибудь бога не забыть! — близ Афин были построены в разных местах жертвенники «Неведомому богу».

Почему-то Александре казалось, что она должна помолиться всем богам своей родины, и ведомым, и неведомым, чтобы благословили ее счастье и ее семью.

Эта поездка была настолько прекрасна и радостна, спокойна и светла, что Александре чудилось, будто жизнь расстелила перед ней шелковый золотистый ковер, по которому она будет идти, ни разу не споткнувшись, не оступившись, не ведая препятствий и бед. Впереди ее, казалось, ожидало только счастье, и вера ее в этом укрепилась, когда она вновь ощутила себя беременной.

Сергей засыпал их письмами с требованиями приехать в Ильинское и провести там лето, а если нужно, и остаться там до родов Александры. Теперь она согласилась без малейших колебаний: она чувствовала себя хозяйкой своей судьбы, своего мужа, своих детей. Камердинер Павла, Волков, называл ее не «ваше императорское высочество», а «матушка Александра Георгиевна». Павел ворчал — мол, от этого наименования жена кажется ему на двадцать лет старше! — однако Александре очень нравился добродушный, обстоятельный Волков, нравилось зваться матушкой, потому что это еще больше укрепляло ее уверенность в себе и укрепляло чувство превосходства над Эллой.

Лето минуло, настал сентябрь, но по-прежнему погода была невыносимо жаркой и душной даже для Александры, любительницы солнца, и она с удовольствием каталась на лодке по Москве-реке, которая образовывала дугу и окаймляла парки усадьбы. Берег спускался к воде уступами. Ходить по лестнице Александре было скучно, и она норовила пройти по этим уступам, однако Сергей и Павел очень беспокоились, что она поскользнется, а потому ее всегда сопровождали или они, или Волков, который теперь заботился о жене своего господина, кажется, даже больше, чем о нем самом. Ну, и конечно, Элла всегда была рядом.

В тот день они пошли было к реке все четверо, в сопровождении Шармер, камеристки Эллы, и Волкова, как вдруг Элла подвернула ногу. Каблук ее белой летней туфли оказался сломан.

Она страшно огорчилась.

— Какая я была глупая, что надела сегодня эти туфли на каблуках! — воскликнула Элла. — Ну почему меня никто не остановил?!

Александра и мадемуазель Шармер обменялись быстрым взглядом. Не далее как этим утром они обе наперебой уговаривали Эллу надеть легкие греческие сандалии на веревочной подошве, которые привезла ей в подарок Александра. В них было совершенно не жарко, они не скользили по песку и траве — единственным недостатком их было то, что в них набивался песок и пачкал чулки. Поэтому Элла и отказалась, сказав, что ей надоело беспрестанно переодевать чулки — за день их приходилось менять трижды, не меньше! Так и пошла в своих любимых туфельках на каблучках. И вот вам!

— Идемте, Шармер, — сказала Элла. — Мне надо переобуться. Подождите меня вот там на скамейке, — показала она рукой остальным и сделала несколько ковыляющих шагов, но остановилась: — Я не могу идти!

— Я вас отнесу, — сказал Сергей и легко подхватил жену на руки. Элла блаженно рассмеялась:

— Право, если бы знала, что меня ждет такое удовольствие, сломала бы каблук гораздо раньше!

Но не сделал Сергей и нескольких шагов, как появился его новый адъютант, Владимир Гадон, который дежурил нынче на телефонном аппарате в кабинете великого князя, и сообщил, что его просил к разговору начальник полиции.

— Голубчик Волков, — сказал Сергей Александрович, — не откажите в любезности отнести ее высочество переодеться.

Волков вопросительно взглянул на Павла. Тот кивнул, и камердинер принял на руки Эллу. Он двинулся к левому крылу дома, где находились комнаты великой княгини, а Сергей Александрович в сопровождении Гадона заспешил вправо, где размещался его кабинет.

— Надеюсь, они скоро, — сердито сказал Павел. — Жара невыносимая. Как все это некстати!

— Ничего, — безмятежно проговорила Александра, — мы подождем.

Они сели на дерновую скамью, оказавшуюся поблизости. Собственно, с некоторых пор такие скамьи появились там и сям по всему парку: их приказал построить Сергей Александрович, потому что Александре на обычных скамьях сидеть было жестко и неудобно, а на дерновых она могла даже прилечь. Для ее удобства на них на все днем накидывали покрывала и укладывали несколько подушек. И каждый раз, садясь на такую скамейку, Александра поражалась внимательности и заботливости великого князя, такого сдержанного и сухого на вид.

Скамьи были мягки и удобны. Александра положила голову на подушечку и с удовольствием вытянула ноги. Они отекали, несмотря на легкость и удобство греческих сандалий, и ремешки начинали врезаться в ногу. Но если бы она носила обычную обувь, то вообще бы чувствовала себя как в колодках.

— Хочешь, я расстегну твои сандалии? — спросил Павел, который очень хорошо знал, как мучается она с ногами.

Александра сонно кивнула. Да что за скамейки такие, стоит на них присесть, а тем более — прилечь, как страшно клонит в сон?!

— Спи, моя ненаглядная, — услышала она ласковый голос Павла — и опустила ресницы, счастливо улыбаясь.

Снилось ей, будто она идет по Стадии — это была афинская улица, соединяющая площади

Омония и Синтагму, где находился королевский дворец. Наверное, была анфистерия — праздник цветов, который устраивали 1 мая. Это было дивное зрелище с шествием украшенных цветами колесниц, с песнями, танцами, однако Александра удивилась, что ни одной песни не слышит и никто не танцует. И колесницы были какой-то странной формы, все одинаковые, и цветы — блеклые, странно шелестящие, и она никак не могла вспомнить их название... Потом вспомнила — ксиранфемон, но теперь забыла, что означает это название.

Мысли мутились, она уже не понимала, где находится. Вообще у нее было странное ощущение, что она спускается в какую-то долину.

Начало смеркаться, низко летали совы — это были атены, давшие название городу, непременные спутницы богини Афины. Их было много в окрестных лесах, иногда они залетали в королевский сад и днем сидели на деревьях с забавным, задумчивым, трогательным и полусонным выражением. А теперь они летали низко и все заглядывали, заглядывали в лицо Александры, и ей чудилось, что их желтые глаза полны жалости. Они порой выкрикивали что-то — прислушавшись, Александра поняла, что это слово — апокреув.

Почему? Апокреув по-гречески — заговенье, а в переносном смысле — наслаждение чем-то в последний раз.

Почему в последний?..

Еще одна из дома Романовых

Александра не знала, сколько она проспала, но проснулась с острым ощущением тревоги. Приподнялась на локте, огляделась. Чуть поодаль, на такой же дерновой скамье, сидели Волков и мадемуазель Шармер. Они, видимо, ждали, пока проснется великая княгиня, и были поглощены тихим разговором. Александра давно заметила их взаимную склонность и сейчас не стала им мешать.

Осторожно спустила ноги со скамьи, огляделась... Что-то белое мелькнуло за деревьями... О, это белое платье Эллы! А рядом с ней... Рядом Павел?

Или Сергей? А где тогда Павел?

Она хотела окликнуть, но что-то удержало ее. О чем они говорят там вдвоем?

Все сомнения, все ревнивые подозрения, которые Александра считала надежно похороненными, вмиг вернулись. Она бесшумно двинулась к мужу, который стоял, держа в своих руках руку Эллы, и что-то быстро, горячо говорил ей, пытаясь заглянуть в ее глаза.

— Да нет же, — растерянно сказала Элла. — Вы не должны уехать! Александре будет тяжело ехать... в ее состоянии!

— Я уеду один, вернусь к ее родам, — сказал Павел. — Если бы ты только знала, как я проклинаю себя за то, что приехал! Все спокойствие, которое было мною достигнуто в чудесной Греции, рухнуло в тот миг, когда я увидел тебя снова. Я как курильщик опиума — понимаю, что это яд, но не могу отказаться от счастья видеть тебя, говорить с тобой, мечтать о тебе.

Элла резко отвернулась, выдернула руку из его руки, но не ушла: продолжала слушать, и лицо ее, которое было видно Александре в профиль, выражало только одно: безудержное счастье!

— Прошу тебя, не отговаривай меня при Сергее, поддержи меня. И позаботься об Александре, пока меня не будет здесь.

— Ну, Александра вполне обойдется без моей заботы, — обиженно проговорила Элла. — Сергей носится с ней, как... Как будто это она его любимая жена, а не я!

— Господи, да ты что, ревнуешь его? — изумленно воскликнул Павел. — Ревнуешь своего мужа к моей жене?! Да ведь это же...

— Ваше высочество! — услышала Александра встревоженный оклик мадемуазель Шармер.

— Матушка Александра Георгиевна! — вторил ей Волков.

Элла и Павел оглянулись — и увидели Александру — совсем рядом. Растерянность, стыд, ужас отразились в глазах Павла, а лицо Эллы, напротив, прояснилось, и голос ее зазвучал с лживой заботливостью:

— Дорогая, вы проснулись?

Видеть ее, слышать ее Александра больше не могла. Она повернулась — и кинулась прочь, не разбирая дороги. Она пробежала только несколько шагов, когда едва завязанные ремешки

ее сандалий распустились, она споткнулась, нелепо взмахнула руками, пытаясь удержаться на ногах, и тяжело упала лицом вниз.

...Она была без сознания, пока ее несли в дом.
Но в усадьбе не было ни одного акушера, поэтому
Сергей Александрович срочно отправил в Москву
фельдъегеря с письмами к своему собственному
лейб-хирургу и врачам Странноприимной боль-
ницы, которые считались специалистами по пре-
ждевременным родам.

Прибывшие доктора нашли Александру впав-
шей в кому. Состояние ее было безнадежно, и врачи не стали скрывать этого от владельцев Ильинского. Элла лишилась чувств. Все остальные были
в таком ужасном состоянии, что почти не обратили на это внимания, одна мадемуазель Шармер
ухаживала за ней.

Спросили Павла, как быть с ребенком, который был еще жив, но мог вот-вот умереть вместе с матерью, в ее теле. Он ничего не понимал,
не слышал, не мог ответить. Сергей Александрович, который единственный из всех сохранял
присутствие духа, приказал срочно делать кеса-
рево сечение. Наконец извлекли из тела умирающей матери недоношенного младенца, не ручаясь
окончательно и за его жизнь, хотя крохотное сер-
дечко его билось. Ребенок был таким маленьким,
таким слабым...

Сначала никто не верил, что он останется жив, все заботы были направлены на Александру. Однако усилия были напрасны. Она так и не пришла в сознание, однако напоследок прошептала одно слово — ксиранфемон. Потом, много позже, Сергей Александрович, которому это слово врезалось в память, будто последний завет умирающей, нашел его в словаре. Это было название цветка, и оно значило то же, что и иммортель. Бессмертник. Бессмертной Александра и осталась в его душе, сердце и памяти. Няня-англичанка маленькой Маши украдкой прокралась в комнаты умирающей великой княгини, хотела сесть на стул подле ее кровати и начала убирать с него набросанные пледы и одеяла. Вдруг что-то запищало в этом ворохе... Она развернула одеяла и нашла новорожденного младенца, кое-как спеленатого и всеми забытого.

Тут потрясенный Сергей Александрович спохватился и вспомнил, в чем клялся когда-то Александре. Он ведь обещал заботиться о ее детях! Он уже знал, что его бедная невестка умрет, и теперь самым главным стало для него спасти ее сына.

Доктора дали совет обложить колыбель младенца ватой и теплыми бутылками с водой, которые нужно было менять каждые двадцать минут. Сергей Александрович сам занимался этим вместе со своими адъютантами, сам купал его в отварах трав, которые прописали доктора, и ребенок начал набирать силу и расти.

Очнувшаяся Элла горько рыдала в своих комнатах. Павел, чудилось, лишился рассудка. Он сидел возле неподвижной жены и смотрел на нее остановившимся взглядом, что-то беспрерывно шепча. Никто, кроме Волкова, не осмеливался к нему приблизиться, и только камердинер слышал, что великий князь повторял два слова: «Прости меня!»

Хоть никто и не надеялся, что семимесячный младенец выживет, однако он дышал, двигался, плакал, начал есть — из деревни срочно доставили молодую женщину, которая кормила своего младенца, но ее молока должно было хватить и для Дмитрия. Да, его немедленно окрестили, потому что Сергей Александрович верил, что Господь скорее защитит крещеного младенца, чем некрещеного. Крестили его в домовой церкви в Ильинском, торопливо, без всякого намека на торжественность. И снова восприемниками от купели пришлось быть великому князю Сергею Александровичу и его жене. Элла, бледная, постаревшая, едва сдерживающая слезы, могла стоять только с помощью своих камеристок. Волков поддерживал Павла.

Сергей Александрович сам едва не плакал, но понимал, что кому-то здесь надо взять себя в руки. Его поразила сила горя, которую испытывали Павел и его жена. Он не знал, что это была сила горестного, мучительного раскаяния...

Спустя шесть дней после рождения сына Александра умерла.

Смерть такой красивой, такой счастливой, такой молодой — ей был двадцать один год! — греческой принцессы стала катастрофой и для Греции, и для России. В обеих странах был объявлен траур. Жители деревень, расположенных близ Ильинского, поочередно несли гроб на плечах до железнодорожной станции все тринадцать километров. Весь путь от усадьбы до станции был устлан цветами.

Похоронили Александру в Петропавловском соборе. Павел, бывший почти в невменяемом состоянии, рыдал на похоронах и пытался броситься в могилу, но Сергей, заключив его в объятия, увел от гроба.

Элла на похороны приехать не могла — у нее открылось воспаление легких, и это несмотря на ужасную жару...

После похорон Павел приказал запереть спальню Александры в Ново-Павловском дворце на ключ и никому его не отдавал несколько лет. Он заходил туда изредка сам и подолгу сидел у постели покойной жены.

Сергей, который боялся за рассудок брата, очень хотел увезти его за границу, однако обязанности московского градоначальника требовали его неусыпного присутствия, поэтому он, посоветовавшись с врачами, вызвал к себе Алексея Волкова, камердинера брата, и сказал, что поручает ему жизнь и здоровье Павла. Волков должен был сопровождать Павла неотступно.

Впрочем, его не надо было убеждать. Один из немногих, Волков знал, как и почему погибла Александра Георгиевна, но не осуждал своего господина, а только жалел его.

* * *

ИЗ ДНЕВНИКА КАМЕРДИНЕРА ВОЛКОВА

В Ново-Павловском дворце теперь страшно появляться. Над ним нависла мрачная тень смерти. Душа великого князя в таком смятении, что иногда можно подумать — этого горя он не перенесет. Да еще врачи не дают никакой надежды, что новорожденный сын останется жив...

......

Мой бедный князь скоро и сам обратится в тень. Он не спит, не ест, он сам на себя не похож. Опасаюсь за его рассудок. Мне его бесконечно жаль — ведь он считает себя виновным в смерти жены. А я всегда говорю, что виновна во всех бедах мужчины только женщина. Имени ее называть не стану, однако скажу, что все мое уважение к ней, все восхищение ею рухнуло в одну минуту, когда я увидел, что сталось с бедной моей, дорогой, маленькой княгиней, матушкой Александрой

Георгиевной. Даже имени виновницы мне не хочется произносить, и клянусь, что больше никогда не упомяну его на страницах моего дневника. Возможно, она искренне кается, дай Бог и прости ее Бог...

......

Великий князь Павел Александрович мечется по своему дворцу, нигде не находя себе покоя; в короткое время он обратился в тень. Врачи, пользовавшие его, с домашним доктором Тургеневым во главе решили, что для восстановления физического здоровья и духовного равновесия великого князя необходима поездка за границу. Об этом мне сообщил великий князь Сергей Александрович, и я дал слово, что не сведу глаз с Павла Александровича. Но тут встретилось неожиданное препятствие.

Великому князю предписано было медиками во время путешествия пользоваться массажем, но Павел Александрович решительно отказался взять с собою массажиста — постороннего, нового для себя человека. Видеть сейчас чужие лица для него непереносимо. Тогда доктор Тургенев нашел выход: он взялся в короткое время обучить меня врачебному массажу. Занятия наши пошли успешно, и к должности заведующего великокняжеским гардеробом у меня прибавилась еще должность придворного массажиста.

......

Мы наконец-то в пути. Первый этап нашего путешествия, в котором великого князя Павла Александровича, кроме меня, сопровождает адъютант Ефимович, — город Кобург, куда великий князь едет повидаться со своей сестрой Марией Александровной, герцогиней Кобург-Готскою.

......

Пребывание наше в Кобурге было очень кратковременным. Великий князь Павел Александрович стремится в Италию, к солнцу и теплу, которых требует его измученный недугом и горем организм. Наш маршрут теперь — Неаполь, Флоренция, Рим, Венеция.

......

Уже который день ездим по солнечной Италии, которая нынче оказалась такой дождливой, что и в Петербурге я такой слякоти не видывал. Всюду нас преследуют холод и дождливое ненастье, осень в этом году на юге, как на грех, задалась особенно непогодливая. Великий князь все время нервничает, жалуется на погоду, нигде ему не нравится. Он хочет, чтобы мы к рождественским праздникам вернулись в Петербург.

Однако, несмотря на все неблагоприятные обстоятельства, сопровождавшие нашу поездку, она все же через некоторое время принесла долю пользы великому князю Павлу Александровичу: здоровье и самочувствие его несколько улучшились. Хотя настроение его по-прежнему очень мрачное. Он часто говорит о смерти, и даже мысль о том, что дети нуждаются в его заботе, не может его отвлечь.

Конечно, христианину грех думать о самоубийстве, однако часто посещает меня опасение, что отчаяние и уныние Павла Александровича могут оказаться непосильными для него. Конечно, сейчас ему была бы очень полезна встреча с его любимым братом, великим князем Сергеем Александровичем. Однако того неотлучно держат в Москве обязанности градоначальника. Ехать же в Москву Павлу Александровичу невыносимо по понятным причинам...

......

Мы прибыли в Санкт-Петербург. Меня несколько утешает мысль, что великий князь Владимир Александрович и его супруга теперь стали уделять младшему брату гораздо больше внимания и всячески стараются утешить его и расшевелить.

......

Я так давно не прикасался к своему дневнику. Слишком мрачное настроение владело великим князем, а значит, и мною. Он вел затворническую жизнь, всецело посвятив себя детям, которых забрал из Ильинского и они все вместе поселились в Ново-Павловском дворце.

Дети жили с их нянями и слугами в покоях на втором этаже. Эта анфилада комнат была совершенно изолирована от остальной части дворца. Здесь властвовали английская няня Нэнни Фрай и ее помощница Лиззи Гроув.

Все русские слуги, в том числе и я, относились к ним довольно настороженно, как к чужакам. Они привезли с собой в Россию все свои обычаи и установили в детской свои собственные правила, которым должна была подчиняться бесчисленная свита русских горничных, лакеев и нянек, приставленных к детям великого князя. Из-за всего этого великая княжна Мария Павловна и великий князь Дмитрий Павлович до шестилетнего возраста едва могли выговорить слово по-русски — члены семьи разговаривали с нами по-английски, и ближайшим слугам, в частности мне, пришлось освоить то же наречие.

......

Великий князь Павел Александрович назначен командовать Императорской конной гвардией. Когда он появился перед детьми в парадном мундире этого полка, поистине великолепном: белом с золотыми галунами, позолоченный шлем был увенчан императорским орлом, — маленькая великая княжна Мария Павловна заплакала от восторга. Она относится к отцу с истинным обожанием!

Конечно, он обладает поразительным обаянием. Каждое слово, движение, жест несут на себе отпечаток исключительности. Я бесконечно горд, что имею честь служить великому князю.

......

Остроумие Павла Александровича сегодня заставило детей испытать неистовый восторг. Нынче Пасха, и он ловко подложил под ручного зайца, питомца детей, обычное куриное яйцо, причем ему удалось заставить их поверить в то, что именно заяц снес яйцо!

......

Вот уже который раз дела призывают великого князя за границу. Великим постом этого года он вторично съездил в Кобург, где состоялась помолвка цесаревича Николая Александровича с принцессой Гессен-Дармштадтской — Алисой. Сюда съехались все великие князья, в том числе и московский градоначальник.

Я не без опаски наблюдал встречу великого князя Павла Александровича с Сергеем Александровичем, который прибыл с супругой, однако прошла сия встреча вполне мирно. Отношения братьев по-прежнему дружеские, прочие же отношения вежливо-равнодушные. Видимо, потрясение, которое испытал Павел Александрович тем летом, когда стал вдовцом, настолько ожесточило его сердце, что никакой опаски встреча с известной персоной более для него не представляла.

Мне довелось увидеть невесту цесаревича. Великий князь Павел Александрович поручил мне доставить ей ценный от него подарок. Я отправился в занимаемое ею помещение Кобургского дворца и застал ее в одной из тесных дворцовых гостиных. Сидела она на диване вместе со своим женихом и при виде меня как-то сконфузилась и отошла к окну, ничего мне не сказав. Наоборот, его императорское высочество приветствовал меня очень ласково и проговорил:

— А, милый Волков, что скажешь хорошего?

Я доложил о цели моего прихода, и тогда цесаревич пригласил подойти свою невесту, объяснил ей, кто я таков, зачем явился.

Она, по-видимому, была рада подарку и милостиво отпустила меня, дав мне на прощание поцеловать руку.

В Кобурге мы пробыли около трех недель, весело и разнообразно. Особенно оживлял собравшееся там общество своею веселостью и подвижностью великий князь Владимир Александрович.

......

С наступлением осени великий князь Павел Александрович совместно с великим князем Сергеем Александровичем стал собираться в Англию, поскольку начали говорить о возможной женитьбе моего господина на одной из английских принцесс. Такова была воля императора, и Павел Александрович не противился, ибо хотелось ему избавиться от тоски. Все было приготовлено уже к нашему отъезду — уложены сундуки и чемоданы, когда из Ливадии была получена телеграмма, извещавшая о том, что пребывавший там на излечении император Александр III находится в опасном положении. Спешно переупаковали вещи и немедленно выехали в Крым.

В Ливадии мы пробыли всего-навсего около недели. Здесь застали мы последние дни императора Александра III. Ливадийский дворец был полон медицинскими светилами, собравшимися со всего мира, но они не могли уже доставить облегчения угасавшему государю. По желанию государя вызван был в Ливадию и отец Иоанн Кронштадтский.

Утром 20 октября 1894 года великий князь Павел Александрович вернулся из опочивальни государя и сообщил мне и другим своим слугам, что все кончено. На наш вопрос, можно ли нам пойти проститься с почившим императором, великий князь отвечал утвердительно. Поодиночке входили мы, пораженные горем, в государеву спальню. Царь не лежал еще на кровати, но сидел, одетый в халат, в глубоком кресле, по-видимому, в том самом положении, в котором застала его смерть. Около него, обнимая его, сидела императрица Мария Феодоровна. Мы, склоняясь, целовали руку почившего монарха и, поклонившись государыне, выходили из комнаты. В тот же день вечером мы присутствовали на панихиде по Александру III. Затем принесли присягу новому императору Николаю II и на следующее утро выехали из Ливадии в Петербург.

......

Летние месяцы сего года побыли мы за границей, причем побывали в Англии в гостях у престарелой королевы Виктории в замке Виндзор. Время было проведено здесь великим князем Павлом Александровичем в самом тесном семейном кругу.

Целью посещения Англии было устройство сватовства великого князя Павла Александровича к одной из английских принцесс, во исполнение воли покойного императора. Однако окончилось знакомство ничем, так как великий князь и принцесса, что называется, не сошлись характерами. Конечно, после ангельской душеньки, матушки нашей Александры Георгиевны вряд ли может кто понравиться моему великому князю. Я даже не слишком верю, что он найдет себе когда-нибудь жену, хотя жить такому мужчине холостым, одиноким — это совершенно последнее дело.

......

К началу осени мы снова были в Петербурге. По возвращении нашем домой жизнь вскоре вошла в обычную колею и потекла однажды заведенным порядком. По-прежнему великий князь избегает шумных увеселений и отдается весьма ревностно занятиям в лейб-гвардии конном полку. Они отвлекают его от мыслей о неудавшейся семейной жизни и успокаивают его расшатанные нервы.

......

Весной сего 1896 года мне пришлось снова сопровождать великого князя Павла Александровича в поездке, на этот раз в Москву, на коронационные торжества.

Остановились мы, по старому обыкновению, у великого князя Сергея Александровича. На этот раз великий князь Павел Александрович ехал в сопровождении детей, которых старший брат его любил, как родных.

В Москве у великого князя Павла Александровича было много хлопот. По поручению молодого государя он должен был ежедневно встречать приезжавших на коронацию иностранных высоких гостей, всякий раз переодеваясь в соответствующий иностранный мундир. Так протекло около недели, и наступили сами коронационные дни.

......

Мне удалось наблюдать церемонию традиционного переезда государя из Петровского дворца в Кремль накануне самой коронации. Царь ехал верхом, обе же царицы — в экипаже, восторженно приветствуемые народом.

На другой день я смотрел торжественное шествие от Красного крыльца к Успенскому собору и обратно, в Кремлевский дворец. Попытался я было проникнуть в Успенский собор, но там была такая неимоверная давка, что я предпочел возвратиться в Кремлевский дворец. Через несколько минут после меня туда пришел великий князь Павел Александрович и сообщил, что сейчас прибудет государь император, которому нужно помочь переодеться.

Действительно, вскоре вошел в свои покои император Николай II. Я принес ему свои поздравления, за что он поблагодарил меня с обычною своею лаской. Был он очень бледен и утомлен, но расположение духа у него было хорошее.

— Посмотри, Волков, что со мною сделали, — обратился он ко мне и показал сначала мундир, а затем сапоги с особо мягкими подошвами.

Мундир и подошвы сапог государя имели заранее сделанные отверстия, через которые было совершено таинство миропомазания. Переодевшись, государь велел убрать мундир и сапоги, которые должны были храниться как святыня и в качестве исторической реликвии...

......

Мы вернулись в Петербург. На прощание Сергей Александрович сказал мне, чтобы я внушил Павлу Александровичу мысль о необходимости жениться.

Я, конечно, выразил согласие с великим князем, однако, правду сказать, не верю я, чтобы какая-то особа привлекла внимание Павла Александровича. Слишком уж ранен он больно был, боюсь, рана эта никогда не заживет, так вдовцом и проживет свой век...

* * *

— Вы нынче дома?

Леля изумленно уставилась на входящего мужа.

— Да, я решил провести вечер с семьей, — отозвался Эрик Пистолькорс, сбрасывая шинель на руки лакея. Второй лакей, только что подавший Леле манто, поспешно вышел. Слуги по опыту знали, что, когда супруги неожиданно встречались (они могли не видеться неделями, живя в одном доме), это непременно кончалось ссорой.

Еще одна из дома Романовых

— Да? — усмехнулась Леля. — Разве вы забыли, что дети неделю назад уехали к вашим родителям? А я нынче приглашена в театр.

— Кем же, интересно? — холодно спросил Эрик, словно не слыша того, что она сказала о детях.

— Вашим начальником, мой дорогой супруг! — задорно отозвалась Леля. — Вашим начальником и его супругой. Быть может, вы желаете меня сопровождать в оперу?

Конечно, это была бы полная катастрофа... Однако Леля не сомневалась, что риска нет никакого. Если что-то и было более ненавистно Эрику, чем оперные спектакли, то Леля не знала, что это такое.

Она взглянула в его насупленное лицо, с трудом подавляя желание рассмеяться. У нее было превосходное настроение! Почему-то не оставляло ощущение, что сегодня случится что-то невероятно приятное! И, не прощаясь с мужем, Леля выпорхнула за дверь.

Впрочем, пока она спустилась к экипажу, настроение чуть омрачилось. Муж явился, как статуя командора. Один его вид способен испортить все удовольствие от вечера, который она ждала с таким нетерпением! Ах, как бы Леле хотелось избавиться от Эрика...

Конечно, существует такое понятие, как развод. Не то чтобы это явление стало уже вполне общепринятым в великосветской среде, однако теперь уже времена изменились и анафеме за разводы больше никого не подвергают. Но... как ни плох муж Эрик, а все же лучше с таким супругом, чем вовсе без оного. Статус замужней дамы ее неплохо защищает. Скажем, будь она сейчас разведенной, разве привечала бы ее милая, дорогая Михень? Разве пригласила бы сегодня в театр, посулив, что приведет ее в императорскую ложу? Так что... так что пусть Эрик остается на том месте, которое ему предназначено судьбой!

Во всяком случае, пока!

...Часом спустя Леля выбежала из Мариинского театра, задыхаясь от слез. Вечер, который должен бы стать ее триумфом, закончился скандалом и позором! Боже мой, ну разве она знала... разве знала, что Михень поведет себя столь бестактно? Мало того, что она собиралась слишком долго и вся компания во главе с ней и великим князем Владимиром Александровичем прибыла в театр с опозданием, гораздо позже их величеств, что считалось недопустимым, так Михень еще и ворвалась со всей своей свитой в приватный кабинет их величеств, которые как раз сели там ужинать.

— Мы опоздали, простите! — небрежно бросила Михень. — Господа, прошу садиться, и распорядитесь, чтобы нам тоже подали ужинать.

Николай Александрович и Александра Федоровна какое-то мгновение недоумевающе смотрели на великую княгиню, а потом молодая императрица вскочила, и красивое лицо ее пошло пятнами. Николай Александрович также встал.

Глаза его встретились с глазами Лели, и та поняла, что император разгневан донельзя.

— Ваши императорские высочества, — сухо проговорил Николай, глядя то на Владимира Александровича, то на Марию Павловну, — моя жена и я считаем сей визит не совсем приличным и надеемся, что такой случай в той или другой царской ложе больше не повторится! Вы привели посторонних людей в мою ложу! Мне в особенности обидно то, что вы сделали это без всякого разрешения с моей стороны. При отце ничего подобного не случилось бы. Не забывайте, что я стал главой семейства и что я не имею права смотреть сквозь пальцы на действия кого бы то ни было из членов семейства, которые считаю неправильными или неуместными. А теперь прощайте, господа.

Император подал жене руку, и они двинулись к выходу. На лице у Марии Павловны играла вызывающая усмешка, однако свита была смущена и скандализована. Родственники императора рано или поздно помирятся с ним, а все прочие... Они волей-неволей поступили бесцеремонно и неуважительно по отношению к государю. Что их теперь ждет?

Все так и рассыпались в стороны, давая дорогу уходящим, однако Леля замешкалась, присела в неуклюжем реверансе... Императрица, проходя мимо, чуть задела ее краем платья и тут же под-

234

хватила подол с такой гримасой, как будто задела бочку золотаря. А император... Боже мой!

Леля помнила время, когда молодой цесаревич в компании своего дяди Владимира Александровича и великого князя Константина Константиновича приезжал на дачу Пистолькорсов в Красном Селе, а если приехать не мог по каким-то причинам, присылал «маме Леле» извиняющиеся записки. А теперь его взгляд выражал только гнев и ледяное презрение.

И все собравшиеся ощущали одно и то же — желание оказаться как можно дальше отсюда. Каждый думал о том, что его карьера при дворе безнадежно испорчена этим нелепым визитом, участием во фрондерской выходке Михень.

Леля с ужасом думала, как это скажется на ее положении в свете, на положении мужа. Да Эрик никогда ей не простит, если по ее вине окажется замешан в скандал! И никогда не заступится за жену.

Как ни толстокожа была Михень, теперь настроение испортилось и у нее. Но она еще пыталась делать хорошую мину при плохой игре. Равнодушно окинула взглядом ложу, зевнула:

— Да тут прескушно! Я хочу вернуться домой!

Великий князь взял ее под руку и повел к выходу.

Вслед за ними потянулась и свита, и компания приглашенных. Леля вышла из ложи последней, едва скрывая слезы.

Подозвала экипаж.

Куда ехать? Домой? Но там Эрик. Он сразу поймет, что произошла какая-то неприятность. Начнет допытываться, в чем дело. А не дай бог, узнает! Сразу начнет страдать из-за того, что это может испортить его карьеру. Успокаивать кого-то у Лели не было сил. Ей хотелось, чтобы ее кто-то успокоил. Но от Эрика этого не дождешься...

Ей хотелось побыть с кем-нибудь, кто мог бы ее утешить. Леле хотелось побыть одной.

Она сама не знала, чего бы ей хотелось!

Экипаж долго колесил по улицам, наконец Леля решила немного пройти пешком. Кучеру велено было следовать поодаль.

Она вышла на пересечении Невского и Гороховой улиц и остановилась на Красном мосту.

Вдруг вспомнилось, как она стояла здесь много-много лет назад, мечтая найти утешение в смерти. Как это ужасно — умереть...

Было невыносимо жаль себя, вспоминать, как она стоит тут одна... Слезы так и лились из глаз. И все-таки эти годы ее кое-чему научили. Да, сейчас ей горько, невыносимо горько, однако и мысли не возникает расстаться с жизнью. Надо просто набраться сил и дожить до завтра. Утро вечера мудренее!

Она наклонилась над перилами, всматриваясь в темную воду Мойки. Слезы мешали, Леля открыла ридикюль, доставая платок, и наткнулась на сложенный вчетверо листок со стихами. Она мечтала сегодня передать их Владимиру Александровичу, чтобы завлечь его... Но не удалось.

Ничего, в другой раз.

Вдруг листок выскользнул из ее пальцев и полетел под мост.

Вот нелепо! А впрочем, ничего страшного. Даже наоборот. Леле вспомнилось, как няня младшей дочери недавно говорила, утешая девочку в каком-то детском горе:

— Случилась беда — надо что-нибудь в воду бросить. Какую-нибудь вещь ненужную, да хоть просто бумажку. И нашептать на нее: «Уплыви, моя беда, унеси тебя вода! Пусть вода уйдет и все на лад пойдет!»

Как кстати вспомнилось!

Леля улыбнулась и, наклонившись еще ниже, чтобы видеть плывущий листок, прошептала:

— Уплыви, моя беда, унеси тебя вода! Пусть вода уйдет и все на лад пойдет!

— Сударыня! — Кто-то резко схватил ее за руку и оттащил от перил. — Вы... вы...

Леля возмущенно вырвала руку. Да что он себе позволяет?! Незнакомый человек, такая бесцеремонность!

И вдруг она поняла. Да он, наверное, решил, что она собралась кинуться с моста?!

Какая глупость! Нет, она не собирается умирать, она будет бороться за себя, за свой успех, за свою жизнь, за свою светскую карьеру. Нет ничего на свете, что было бы для нее сладостней, интересней, приятней, чем жизнь в свете. Чем жизнь.

Она слабо улыбнулась, и человек снял шляпу:

— Простите меня. Мне вдруг на мгновение показалось, что вы...

Леля изумленно всматривалась в его лицо. Да ведь это великий князь Павел Александрович, командир кавалерийской лейб-гвардии! Они не раз виделись в свете, в том числе — у Владимира Александровича. Прошло уже много лет после смерти его жены, греческой принцессы Александры, однако великий князь держался так, словно грусть по ней будет угнетать его вечно. Впрочем, какие-то слухи, что это не тоска, а раскаяние, что не жену он любил, а...

Дальше слухи становились вовсе уж скандальными, и, как ни любила Леля сплетни, она им не слишком верила. Влюбиться в жену своего брата до такой степени, что об этом узнала жена и от потрясения умерла в преждевременных родах?! Это слишком уж невероятно! Хотя, впрочем, официальная причина этих преждевременных родов тоже была нелепой и даже просто смехотворной: якобы Александра Георгиевна любила, спускаясь на берег, прыгать прямо в лодку с крутого берега и прыгнула очень неудачно. Вообразить, чтобы женщина на седьмом месяце беременности начала прыгать, да еще и с крутого берега?! Чепуха!

— Госпожа Пистолькорс? — изумленно проговорил в эту минуту великий князь. — Я вас не узнал сразу, простите великодушно.

— Это я прошу прощения, ваше императорское высочество, — начала было Леля, но Павел Александрович махнул рукой:

— Ради бога, оставьте. Я инкогнито, как видите.

Да, он был в штатском, именно поэтому Леля его узнала не сразу. Куда же он направляется — вот так, инкогнито? Не на тайное ли свидание? Нет, кажется, никуда не спешит... прислонился к перилам моста, с любопытством разглядывая Лелю.

— Когда-то здесь жила, на этой улице, — сказала Леля. — Вон там, ближе к магазину Гамбса. И мне нравится иногда приезжать сюда.

— Мне тоже нравится эта улица и особенно этот мост, — с улыбкой сказал Павел Александрович. — Один раз у меня было здесь весьма забавное приключение. Давно, лет десять тому назад!

— В самом деле? — усмехнулась Леля. — У меня тоже. И тоже давно.

И вдруг озноб прошел по ее плечам...

Павел Александрович тоже вздрогнул. Склонился к ней, внимательно всмотрелся в лицо.

— Боже мой, — тихо сказала Леля. — Так это были вы?!

* * *

Самым чудесным существом для Маши (посторонние обычно называли ее великая княжна Мария Павловна) был ее отец. Матери она совсем не помнила. В доме было много ее портретов, а под одним из них под стеклянным колпаком лежал прекрасный аметистовый гарнитур: серьги, колье, перстень. Кто-то — может быть, камердинер отца Волков, может быть, няня Фрай, а то кто-нибудь еще — сказал Маше, что этот гарнитур отец подарил ее покойной матери, когда она родила ему дочь, то есть именно ее, Машу. И когда-нибудь эта фамильная драгоценность будет принадлежать ей.

Но даже думать об этом казалось Маше кощунством. Это было все равно что снять со стены матушкины портреты!

Память о ней хранилась неприкосновенной, как обстановка ее комнат. В них никто не входил. Когда Маша была совсем маленькая, она иногда подходила к дверям и прижималась к ним щекой. Тогда ей казалось, что там живет некий добрый призрак — нет, не призрак матери, а ее любовь, любовь к дочери. Те дни, когда у нее возникало это ощущение, были для нее счастливыми.

Она думала, так будет всегда, но вот однажды в доме наступили перемены.

— Ты уже слишком большая для того, чтобы жить в детской, — сказал отец. — Ты уже вполне можешь зваться барышней. Теперь ты займешь комнаты твоей матери.

Маша смотрела на отца недоумевающе. Раньше он вообще избегал упоминать о матери. А теперь говорит о ней с улыбкой... Теперь велел отпереть ее комнаты, проветрить их... А как же призрак ее любви?

Маше было и страшно войти в те покои, и очень хотелось этого. Наконец она решилась. Это оказались две просторные комнаты, разделенные большой гардеробной. Теперь это ее комнаты. Брат Дмитрий остался пока на третьем этаже, в их прежней детской.

Впрочем, он не огорчался.

— Здесь невкусно пахнет, — сказал Дмитрий однажды, наморщив нос.

— В самом деле, — сказала мадемуазель Элен, воспитательница Маши. — Пахнет плесенью!

Она доложила об этом отцу Маши, и тот приказал разобрать вещи покойной великой княгини.

Горничная Таня под присмотром мадемуазель Элен открыла стенные шкафы и огромные сундуки с поржавевшими замками, и плесенью запахло еще сильней. В глубине шкафов висели на брусьях заброшенные наряды, уже давно вышедшие из моды, стояли ряды маленьких туфелек. Их атлас поблек и потрескался. Из ящиков комодов извлекли шелка разных расцветок, перчатки, дюжинами лежавшие в коробках, обвязанных белыми атласными лентами, кружева, цветы, перья, носовые платки и саше, еще сохранившие свой запах. Здесь были солидные запасы всего — шпилек, мыла, духов, одеколонов.

Мадемуазель Элен с помощью Тани сортировала вещи, раскладывала, вела опись. Груды одежды лежали на полу. Разбор длился несколько дней. Между уроками Маша приходила посмотреть, как идут дела. Ей было так грустно, что иногда хотелось плакать. Как хороши, должно быть, были эти старые вещи, когда их носила мама — молодая, прекрасно одетая, красивая и счастливая. Но была ли она действительно счастлива? Сожалела ли она, умирая, о том, что оставляет этот мир? Маше казалось, что мать жила давным-давно, хотя прошло всего семь лет, как ее не стало.

Одежду из шелка, которую еще можно было использовать, аккуратно откладывали в сторону. Платья из простых тканей были отданы неимущим, кружева и белье оставлены для Маши, а поношенное сожгли. Комнаты вымыли, проветрили, заполнили шкафы свежими саше.

Маша окончательно переселилась сюда, но ей было тоскливо без Дмитрия. И вообще ее не оставляло ощущение каких-то необратимых перемен, которые должны свершиться в жизни.

И вскоре она поняла, что была права.

Как-то раз Маша и Дмитрий заметили на письменном столе отца новую фотографию в маленькой позолоченной рамке. Это был портрет красивого маленького мальчика с длинными локонами.

— Кто это? — тут же спросила Маша, но отец ничего не ответил и заговорил о чем-то другом.

Вскоре после этого, спустившись на первый этаж пить чай, дети, не постучавшись, открыли дверь кабинета отца. Он сидел в кресле, а напротив него к двери спиной стояла женщина. Когда дети вошли, она обернулась, и лицо ее показалось Маше с Дмитрием знакомым. Они не знали, кто это, но вспомнили, что однажды уже видели ее. Это было летом в Царском Селе, когда Маша и Дмитрий катались на лодке по озеру с отцом. Эта женщина шла по берегу, одетая в белую юбку и красный жакет с золотыми пуговицами. Она была очень красивая, улыбалась и приветливо помахала рукой, но дети не ответили, хотя отец махнул ей в ответ.

Мгновение дети смотрели на гостью испуганно, а потом захлопнули дверь и бросились бежать со всех ног, хотя отец звал их, просил вернуться. В прихожей лакей держал соболью шубку, там пахло незнакомыми духами.

Это их напугало, насторожило.

Кто такая эта женщина, как она могла войти в святилище — в кабинет отца?

Но скоро брат и сестра забыли об этом — отец был с ними постоянно нежен, казалось, что теперь он стремится отдавать им как можно больше времени.

Этим летом Маша и Дмитрий не поехали в Ильинское: они жили в Царском Селе. Отец командовал кавалерийской дивизией, расквартированной в Красном Селе. Детей часто возили туда повидаться с ним — лагерь, вся обстановка военной жизни необычайно привлекали их. Ездили в экипаже, запряженном четверкой лошадей.

Еще одна из дома Романовых

В Царское Село приехали из Ильинского дядя Сергей и тетя Элла. Дети чувствовали, что между ними и отцом не все ладно. Однажды во время семейного обеда вдруг возник какой-то спор, что поразило детей, потому что это было впервые. Дядя, желая положить ему конец, встал из-за стола и сказал с натянутой улыбкой: «Ты просто в дурном расположении духа, позаботься лучше о самом себе». Тетя молчала и лишь с беспокойством поглядывала на детей. Они ощущали напряженность, которой прежде никогда не было, им было не по себе, и, как ни любили они своих родственников, все же были на стороне отца, испытывая к нему необычайную нежность.

Потом отец зачем-то уехал за границу. Дядя и тетя грустно простились с детьми и тоже уехали. Странное предчувствие каких-то неприятных перемен мучило Машу.

Наступила осень. Однажды вечером Маша сидела за столом и делала уроки, когда в комнату вошла мадемуазель Элен и протянула ей конверт; Маша сразу узнала почерк отца. Она быстро развернула письмо и начала читать.

Уже с первых слов она поняла, что случилось нечто ужасное.

Отец сообщал, что он женился, его жену зовут Ольгой Валерьяновной Пистолькорс. Он писал, что очень страдал от одиночества и очень полюбил эту женщину, которая может сделать его счастливым. Он уверял, что любит и всегда будет любить детей и надеется, что когда-нибудь вся семья будет вместе. Он просил не питать злобы против его жены.

Письмо упало на пол, Маша закрыла лицо руками и разрыдалась.

Так вот почему отец приказал открыть комнаты покойной жены! Он навеки с ней простился!

Недавно она заметила, что исчезли великолепные аметисты ее матери — те самые, которые лежали под ее портретом. И сейчас она вдруг подумала, что отец отдал их своей новой жене, хотя они должны были принадлежать ей, Маше.

Должно было пройти еще много-много лет, прежде чем она могла бы надеть их, однако Маше казалось, что эту потерю невозможно перенести!

И только теперь она поняла, что за фотография стояла в кабинете отца. Это была фотография их с Дмитрием сводного брата, сына их отца и той женщины!

Гувернантка отвела ее на кушетку и, обняв, села рядом.

Маше казалось, что произошло нечто непоправимое, что отец для нее умер. Она долго плакала, а потом умолкла, оцепенев.

В голове воцарился сумбур, донимала обида. Как мог отец поступить так? И как посмела эта женщина увести его от детей, которые его так любят?!

Еще одна из дома Романовых

— Я ее ненавижу! — воскликнула Маша яростно.

— Дорогая, — возразила мадемуазель Элен, — вам не следует говорить так о жене вашего отца. Ему было бы больно слышать это.

— Как вы думаете, — спросила Маша, — он приедет к нам на Рождество?

— Возможно, — сказала мадемуазель Элен, однако в голосе ее звучало сомнение.

Тем временем Дмитрий читал такое же письмо в своей комнате. Когда дети встретились — оба с опухшими глазами — и попытались поговорить, они снова расплакались.

Потянулись длинные, печальные дни, исполненные для них настоящего горя. Им казалось, что никакого света радости больше не будет.

Маша иногда сочиняла ответ на письмо отца, исписав множество листков, но долго не отправляла их. Наконец решилась — и горько рыдала, перечитывая свое письмо. Только по настоянию мадемуазель Элен добавила она неискреннюю строчку о том, что не питает вражды к своей мачехе...

А некоторое время спустя дети узнали ужасную новость. Поскольку великий князь Павел Александрович заключил морганатический брак вопреки запрещению государя, он с этого момента подлежал высылке из России и лишению всех прав. К тому же все его официальные источники дохода были конфискованы.

Вернулись дядя Сергей и тетя Элла. Как оказалось, они ездили за границу, чтобы остановить Павла Александровича, переубедить его, но это было бессмысленно.

Они очень жалели детей. Сергей Александрович горячо бранил госпожу Пистолькорс, обвиняя ее в том, что она развелась с вполне достойным мужем, чтобы разрушить жизнь отца и его будущее, увести его от детей, которые так в нем нуждаются!

Вернее, нуждались. По приказу императора дядя Сергей становился опекуном своих племянников. Ново-Павловский дворец закрыли, и Маша с братом окончательно перебрались в Москву, чтобы впредь всегда жить с дядей и тетей, которые стали их приемными родителями. И хотя дядя очень сожалел о неразумном поступке брата, он не скрывал радости от того, что теперь дети полностью принадлежали ему. Он сказал Маше и Дмитрию: «Отныне я ваш отец, а вы — мои дети!»

* * *

ИЗ ДНЕВНИКА КАМЕРДИНЕРА ВОЛКОВА

Великий князь Павел Александрович твердо намерен вступить в морганатический брак с госпожой Пистолькорс. Мы сейчас путешествуем по Европе — сначала побывали в Берлине, в Париже, затем объехали Италию. Цель этих поездок — ее исполнение возложено на адъютанта Лихачева — найти за границей православного священника, который согласился бы обвенчать великого князя. Однако все поиски оставались тщетными, и в Петербург пришлось вернуться ни с чем.

......

Мне трудно описать все изменения, которым подвергались отношения между великим князем Павлом Александровичем и госпожой Пистолькорс. Многое, правда, я наблюдал сам, кое-что слышал от других и скажу по этому поводу следующее. Сначала на браке настаивала госпожа Пистолькорс. Великий же князь уклонялся даже от самых разговоров на эту тему. Напрасно ссылалась она на примеры, в частности, на морганатический брак императора Александра II и светлейшей княгини Юрьевской. На великого князя доводы эти не действовали...

Тогда в дело вмешался сам Пистолькорс. Он предложил жене продать петербургский дом и принадлежавшее им имение в Финляндии и переехать на жительство за границу. Госпожа Пистолькорс стала колебаться, но муж ее категорически заявил, что он никому не позволит трепать свое честное имя по панели. Великого князя слова эти задели за живое, и он бесповоротно решил жениться на госпоже Пистолькорс.

......

Из Берлина мы отправились в Италию и остановились во Флоренции. К этому времени госпожа Пистолькорс уже получила формальный развод, и адъютант великого князя Лихачев продолжал энергично искать православного священника, который согласился бы совершить таинство бракосочетания. В конце концов ему удалось это. Был найден священник грек, согласившийся за крупную сумму обвенчать великого князя.

В этот же день Лихачев передал мне, что великий князь просит меня подписать акт, удостоверяющий факты: вдовства великого князя Павла Александровича и развода госпожи Пистолькорс. Кроме меня, Лихачева и Ефимовича, второго адъютанта, акт этот подписал один из знакомых великого князя. Спустя два дня, рано утром ко мне неожиданно вошел великий князь Павел Александрович и обратился ко мне со следующими словами:

— Я здесь на чужбине, и у меня нет ни близких, ни родных. Благослови же меня, Волков, на предстоящий брак.

Я благословил великого князя. Оба мы горько заплакали и потом обнялись горячо.

Бракосочетание великого князя Павла Александровича состоялось в Ливорно, и я на нем не присутствовал. После него молодые вернулись во Флоренцию.

Еще одна из дома Романовых

Послесловие

С ергей Александрович в самом деле был истинным отцом для детей своего младшего брата, хотя Елизавета Федоровна так и не смогла стать им матерью — слишком сильно ревновала к ним и мужа, и Павла.

Отношение ее к детям изменилось только после того дня, как великий князь Сергей Александрович погиб от бомбы террориста Каляева. И все же Элла никогда не простила Павла — даже когда император простил его и позволил не только вернуться в Россию с новой семьей, но и даровал Ольге Валерьяновне титул княгини Палей.

Детей в браке Павла Александровича и Ольги Валерьяновны было трое: сын Владимир и две дочери — Ирина и Наталья.

Жизнь так странно тасует карты, которые сдает в начале игры! Уж наверное во время той сцены в театре скандализованная Александра Федоровна даже вообразить не могла, что Ольга Валерьяновна как равная войдет в дом Романовых. К тому же — станет ей хорошей подругой, а еще больше подружится со вдовствующей императрицей. Однако так и произошло. Только Елизавета Федоровна, которая после смерти мужа стала настоятельницей Марфо-Мариинской обители, ею же самой и основанной, не в силах была преодолеть своей ревности и к детям Павла и Лели относилась со страшной неприязнью и даже брезгливостью.

Потом их с Владимиром помирила и даже сдружила общая трагическая участь алапаевских мучеников.

Ольге Валерьяновне и ее дочерям удалось после революции уехать во Францию, где Ирина вышла замуж за Федора Юсупова, внука княгини Зинаиды Николаевны, а Наталья стала женой и музой знаменитого модельера Люсьена Лелонга, а потом писателя Антуана де Сент-Экзюпери. Уже в Париже Ирина и Наталья часто встречались с Марией и Дмитрием Павловичами, которые жили там в эмиграции.

Великий князь Павел Александрович был арестован вместе с некоторыми своими кузенами в августе 1918 года. Все отчаянные усилия Ольги Валерьяновны спасти мужа не увенчались успехом. Павел Александрович и его двоюродные братья были расстреляны во дворе Петропавловской крепости.

Его личные бумаги, изъятые при аресте, затем попали в Государственный архив. Сохранилось их немного. Но среди них остался небольшой пожелтевший листок, исписанный изящным женским почерком. Это было одно из первых писем, которые Павел Александрович получил от Лели вскоре после их случайной встречи на Красном мосту — на том мосту, который сыграл такую огромную роль в их судьбе.

Вот эти стихи:

Я не могу забыть то чудное мгновенье!
Теперь ты для меня и радость и покой!
В тебе мои мечты, надежды, вдохновенье,
Отныне жизнь моя наполнена тобой.
В тебе еще, мой друг, сильно воспоминанье,
Ты прошлое свое не можешь позабыть,
Но на устах твоих горит уже признанье,
И сердцу твоему вновь хочется любить!
И я люблю тебя! Я так тебя согрею!
В объятиях моих ты снова оживешь.
Ты сжалишься тогда над нежностью моею
И больше, может быть, меня не оттолкнешь!

Итак, Леля оставалась верна себе!

Литературно-художественное издание

ЧАРОВНИЦА. РОМАНЫ Е. АРСЕНЬЕВОЙ

Елена Арсеньева

ЕЩЕ ОДНА ИЗ РОДА РОМАНОВЫХ

Ответственный редактор *О. Аминова*
Редактор *Е. Курочкина*
Выпускающий редактор *А. Дадаева*
Художественный редактор *П. Петров*
Технический редактор *О. Куликова*
Компьютерная верстка *Л. Огнева*
Корректор *Д. Горобец*

ООО «Издательство «Эксмо»
127299, Москва, ул. Клары Цеткин, д. 18/5. Тел. 411-68-86, 956-39-21.
Home page: **www.eksmo.ru**   E-mail: **info@eksmo.ru**

Өндіруші: «ЭКСМО» АҚБ Баспасы, 127299, Мәскеу, Клара Цеткин көшесі, 18/5 үй.
Тел. 8 (495) 411-68-86, 8 (495) 956-39-21.
Home page: www.eksmo.ru . E-mail: info@eksmo.ru.
Қазақстан Республикасындағы Өкілдігі: «РДЦ-Алматы» ЖШС, Алматы қаласы,
Домбровский көшесі, 3«а», Б литері, 1 кеңсе. Тел.: 8(727) 2 51 59 89,90,91,92,
факс: 8 (727) 251 58 12 ішкі 107; E-mail: RDC-Almaty@eksmo.kz
Қазақстан Республикасының аумағында өнімдер бойынша шағымды Қазақстан
Республикасындағы Өкілдігі қабылдайды: «РДЦ-Алматы» ЖШС,
Алматы қаласы, Домбровский көшесі, 3«а», Б литері, 1 кеңсе.
Өнімдердің жарамдылық мерзімі шектелмеген.

Сведения о подтверждении соответствия издания
согласно законодательству РФ о техническом регулировании
можно получить по адресу: http://eksmo.ru/certification/

Подписано в печать 14.03.2013. Формат 84х108¹/₃₂.
Гарнитура «Ньютон». Печать офсетная. Усл. печ. л. 13,44.
Тираж 2500 экз. Заказ 668.

Отпечатано в типографии филиала
ОАО «ТАТМЕДИА» «ПИК «Идел-Пресс».
420066, г. Казань, ул. Декабристов, 2.

ISBN 978-5-699-63645-7

Оптовая торговля книгами «Эксмо»:
ООО «ТД «Эксмо». 142700, Московская обл., Ленинский р-н, г. Видное,
Белокаменное ш., д. 1, многоканальный тел. 411-50-74.
E-mail: reception@eksmo-sale.ru

По вопросам приобретения книг «Эксмо» зарубежными оптовыми
покупателями обращаться в отдел зарубежных продаж ТД «Эксмо»
E-mail: international@eksmo-sale.ru

International Sales: International wholesale customers should contact
Foreign Sales Department of Trading House «Eksmo» for their orders.
international@eksmo-sale.ru

По вопросам заказа книг корпоративным клиентам,
в том числе в специальном оформлении,
обращаться по тел. 411-68-59, доб. 2299, 2205, 2239, 1251.
E-mail: vipzakaz@eksmo.ru

Оптовая торговля бумажно-беловыми
и канцелярскими товарами для школы и офиса «Канц-Эксмо»:
Компания «Канц-Эксмо»: 142702, Московская обл., Ленинский р-н, г. Видное-2,
Белокаменное ш., д. 1, а/я 5. Тел./факс +7 (495) 745-28-87 (многоканальный).
e-mail: kanc@eksmo-sale.ru, сайт: www.kanc-eksmo.ru

Полный ассортимент книг издательства «Эксмо» для оптовых покупателей:
В Санкт-Петербурге: ООО СЗКО, пр-т Обуховской Обороны, д. 84Е.
Тел. (812) 365-46-03/04.
В Нижнем Новгороде: Филиал ООО «Торговый Дом «Эксмо» в Нижнем Новгороде,
ул. Маршала Воронова, д. 3. Тел. (8312) 72-36-70.
В Ростове-на-Дону: Филиал ООО «Издательство «Эксмо» в г. Ростове-на-Дону,
пр-т Стачки, 243 «А». Тел. +7 (863) 305-09-12/13/14.
В Самаре: ООО «РДЦ-Самара», пр-т Кирова, д. 75/1, литера «Е».
Тел. (846) 269-66-70.
В Екатеринбурге: ООО «РДЦ-Екатеринбург», ул. Прибалтийская, д. 24а.
Тел. +7 (343) 272-72-01/02/03/04/05/06/07/08.
В Новосибирске: ООО «РДЦ-Новосибирск», Комбинатский пер., д. 3.
Тел. +7 (383) 289-91-42. E-mail: eksmo-nsk@yandex.ru
В Киеве: ООО «РДЦ Эксмо-Украина», Московский пр-т, д. 6.
Тел./факс: (044) 498-15-70/71.
В Донецке: ул. Артема, д. 160. Тел. +38 (062) 381-81-05.
В Харькове: ул. Гвардейцев Железнодорожников, д. 8. Тел. +38 (057) 724-11-56.
Во Львове: ул. Бузкова, д. 2. Тел. +38 (032) 245-01-71.
Интернет-магазин: www.kniga.ua. Тел. +38 (044) 228-78-24.
В Казахстане: ТОО «РДЦ-Алматы», ул. Домбровского, д. 3а.
Тел./факс (727) 251-59-90/91. RDC-Almaty@eksmo.kz

Полный ассортимент продукции издательства «Эксмо»
можно приобрести в магазинах «Новый книжный» и «Читай-город».
Телефон единой справочной: 8 (800) 444-8-444.
Звонок по России бесплатный.

В Санкт-Петербурге в сети магазинов «Буквоед»:
«Парк культуры и чтения», Невский пр-т, д. 46. Тел. (812) 601-0-601
www.bookvoed.ru

По вопросам размещения рекламы в книгах издательства «Эксмо»
обращаться в рекламный отдел. Тел. 411-68-74.

Интернет-магазин ООО «Издательство «Эксмо»
www.fiction.eksmo.ru
Розничная продажа книг с доставкой по всему миру.
Тел.: +7 (495) 745-89-14. E-mail: imarket@eksmo-sale.ru

2011-703

Жюльетта Бенцони

Книги Жюльетты Бенцони — это блистательно воссозданная хроника реальных исторических событий и неповторимая атмосфера эпохи, это интриги и мистификации, преступления и подвиги, государственные и сердечные тайны.